I

欲望と意思が経済を動かす

資本主義の原動力

人類史における人間活動は、究極的にどこに向かうのか――その考察に当たり、まずは生存の基本条件を左右する経済から話を始めよう。経済活動とは、人が欲望を充足させたい思い（意思）で行う全ての活動である。したがって経済とは、社会が欲望を充足させようと意図的に行う活動の全てのプロセスと結果を指すと言える。

このことは、貨幣経済下では通常、欲望の追求とその意思が経済活動を生み、活発化することを意味する。欲望が経済活動のそもそもの原動力となる。本書のコンテンツは、この「欲望」と「意思」を出発点とする。

そこで資本主義の適度な環境下では、活動の元（資源）となる労働力、資本、素材などを欠かさない限り欲望追求の結果として、経済成長は持続する可能性を高める。なぜなら、欲望は通常、それ自体がひと所にとどまることなく、際限なしに膨らみ続けたり、移り変わるからである。モノやサービスに対する需要は、この欲望の伸縮自在性ゆえに不足感や欲望の刺激によって拡大し続けることが可能となる。

そこで、資本主義システムとは、人間の際限のない欲望を刺激することによって自己増殖していくシステムにほかならない、とも定義できる。その意味で、人的条件や供給条件が整っていれば自己増殖を方向付けられているシステムと言ってよい。欲望の拡大と不可分に結び付いているのである。

さて、欲望が資本主義を駆り立てる原動力だとすると、われわれの辿りそうな未来の道筋を予測するには、はじめに欲望の性質の分析から取り掛かる必要があろう。

欲望は経済活動にどのように関与し、持続的な影響を及ぼしていくのか。移りやすく変化する欲望は、経済の相をどのように変え、人々の生活に影響を及ぼすのか。

一般的に交易が盛んで文化の高い国・地域ほど、人々の欲望は、洗練された文化志向を高める。美しさに惹かれ、美の追求に一層熱心になる。美の鑑賞とか創造に労力と時間をますます割くようになる。この文化度の高まりは、国・地域の資本主義の相にどのような影響を与え、その性質を変えるのか。

一方、問題が複雑化して欲望の実態把握が困難になる場合がある。その要因の一つは、時の流れにある。欲望の相が時々刻々と変わり、流動して定まらないことだ。集団の欲望の相も時の流れと共に変わりゆく。

このことは個人を例にとると、分かりやすい。人の欲望は幼少時と少年期では明らかに異なるし、青年期や壮年期、さらに年を取ると、これまた欲望の相は変わっていく。年齢による変化ばかりでない。社会的立場や経済状態、家庭や学校、職場環境、個人的経験によっても欲望の相は大きく変わる。それは、無限に多様で変化に富み、定まらない。人口が増え若者が多い社会と少子高齢化社会の集合的欲望の相も当然、大きく変わる。

人の欲望の相はこのように、個々の立場によってまちまちだが、一般的な欲望の相を社会に当てはめると、どのような性質と方向性が表れるか。

アブラハム・ハロルド・マズローの研究が、重要な示唆を与える。

マズローは、人間の欲求を五段階に分類した。底辺に広がる生理的欲求は、生命を維持し強めようとする本能的な欲求で、飲食、睡眠、排泄などだ。性的欲求は基本的にこれに含まれるが、いいパートナーを得たいという社会的欲求や、相手から認められたい承認欲求とか相手を意のままにしたい支配欲求とも関わる。これが生の基本となる欲求だ。

この生理的欲求に続いて、「安全への欲求」が前面に表れる。次いで社会的な繋がりを求める「社会的欲求」、さらに自分が承認され、尊重されたい「承認欲求」が続く。そしてさらに自分の能力、努力を生かし、社会に認められる「自己実現欲求」へとシフトする、とマズローは指摘した。

自己超越欲求

インテグラル理論の創始者ケン・ウィルバーは、研究の後年になって、このマズローの欲求体系の頂点にもう一つ、高次の欲求を加える。これを「自己超越欲求」と名付け、「自己実現欲求」の上の最上位に置いた（図表1）。自己超越欲求とは、至高体験を伴う〈自己を超える存在〉へ

図表1　マズローの欲求5段階説＋自己超越欲求

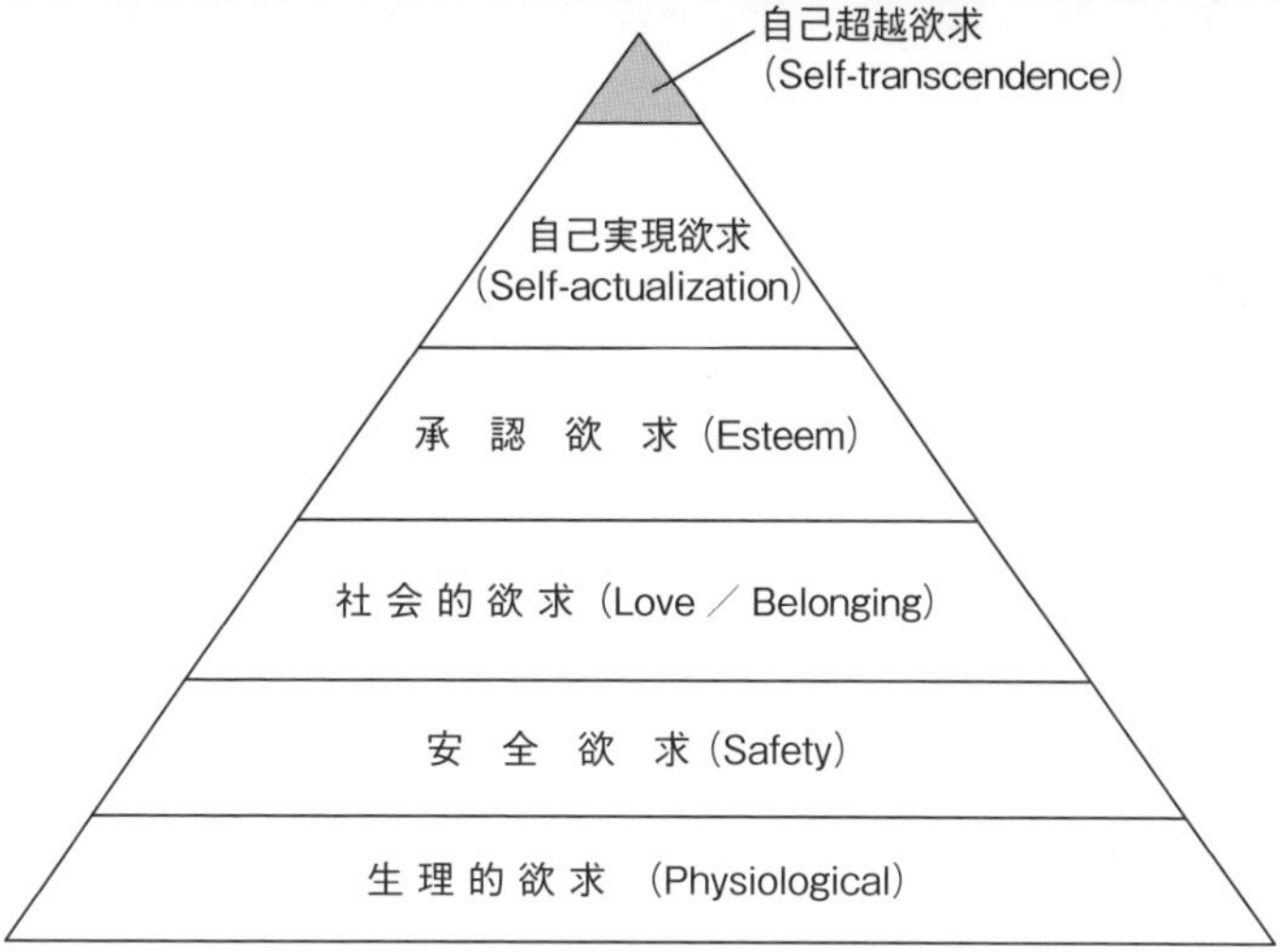

の渇望を指す。

この指摘は、欲望の進化を考える上で重要だ。自己を超越する存在とは、明らかに「常人」の範囲を超える。その存在に達すると、無我とか忘我の境地となるかもしれない。多分に宗教的もしくは超人間的な領域に入る。

この最高位の欲求については、ブッダやキリスト、ムハンマドを連想させる聖者のイメージが真っ先に思い浮かぶだろう。ブッダは生きるこの世を「一切皆苦」とみなし、世俗の欲望を断った涅《ね》槃《はん》の境地をこの上ない至上(極楽浄土)と教えた。

その至高体験は、われわれをこの世に縛る一切の欲からの離脱・解放にほかならないため、人はふつうそこまで求めようとはせず、得られることはない。おそらくブッダと、彼に続いたひと握りの信心深いブッディストしか到達できなかった境地であろう。それは現世的生き方の否定につながる。

キリストとムハンマドも、この「現世否定」の教えでブッダと一致する。三者の教えに共通するイメージは、〈自己を超える永遠の生命〉の追求である。

ウィルバーは、精神的進化の研究調査の最終段階に至って、ブッダやムハンマドやキリストが体験した「自己超越の欲求」に突如気付いた。

だが、現実にはこの自己超越欲求を持つ者はごく少ない。そのことを知るウィルバーは、これを一般的欲望のカテゴリーに入れることに長い間躊躇したかもしれない。あるいは、これを仮に人の欲求の進化の最先端部分とみなした場合、ごく例外的なケースであること、その欲求の実現性においても同様で、カテゴリーの一つに挙げることにはムリがある、と考えたかもしれない。

たしかに自己を超える永遠の存在への衝動は、起こりうるが、その衝動が満たされる条件は事実上、相当に限られる。およそ一般的カテゴリーになじまないと解釈するのが自然だろう。

だが、実際には自己超越欲求は、聖者や賢者のみが持つ特別な欲求ではない。私利私欲なしの自己献身衝動がこれに実質、相当する。無私の社会貢献活動の多くは、自己超越の衝動に突き動かされているからだ。

思い浮かぶのは、二〇一九年一二月の戦乱下のアフガニスタンで、テロリストに銃撃され、殺害された中村哲医師だ。内戦が続くアフガンで、医療活動に従事し、のちに農業用水路の整備に力を尽くした。

暗殺直後、地元では中村さんの死を悼む数多くのメッセージがＳＮＳ（交流サイト）に投稿された。「街や通りに『なかむら』という名前を付けたい」という声も出て、後年実現する。アシュラフ・ガニ大統領（当時）自らが首都カブール空港での追悼式で軍兵士らと中村さんの棺を担いで、日本への帰国を見送った。国連も特別に声明を出した。殺害を「アフガニスタンで最も弱い立場にいる人たちを助けることに人生の大半を捧げた人間に対する無分別な暴力行為だ」と非難し、中村さんの功績を称えた。

中村医師のアフガン貧民に対するひたむきな献身活動は、文字通り「自分を捧げる（dedicate）」ものだ。生前、自身の平和貢献活動について、こう語っている。

「平和とは理念ではなく、現実の力なのです」

この「現実の力」に、自分たちの利権への脅威を感じた地元のシャドウ勢力が、卑劣にも殺害して中村さんの活動を永久に封じたのである。

だが、周辺をみると、自己超越衝動に動かされる人たちはじつは身近なところにも存在する。自分のことなどお構いなしに、災害救助や環境活動、社会福祉事業、障害者や抑圧される少数者、難民の支援活動に貢献している人たちである。こういう無私の献身活動が社会的な支えとなっていることを、献身先の人々は直接、肌身に感じている。

その点で、自己超越行為は一見すると親の子らへの愛に似ている。親はしばしば子の危急に際し、「われを忘れて」、自分のことなど二の次に子を助けようと全力を尽くす。しかし厳密にみれ

図表2　心のパターン＊均衡型タイプ

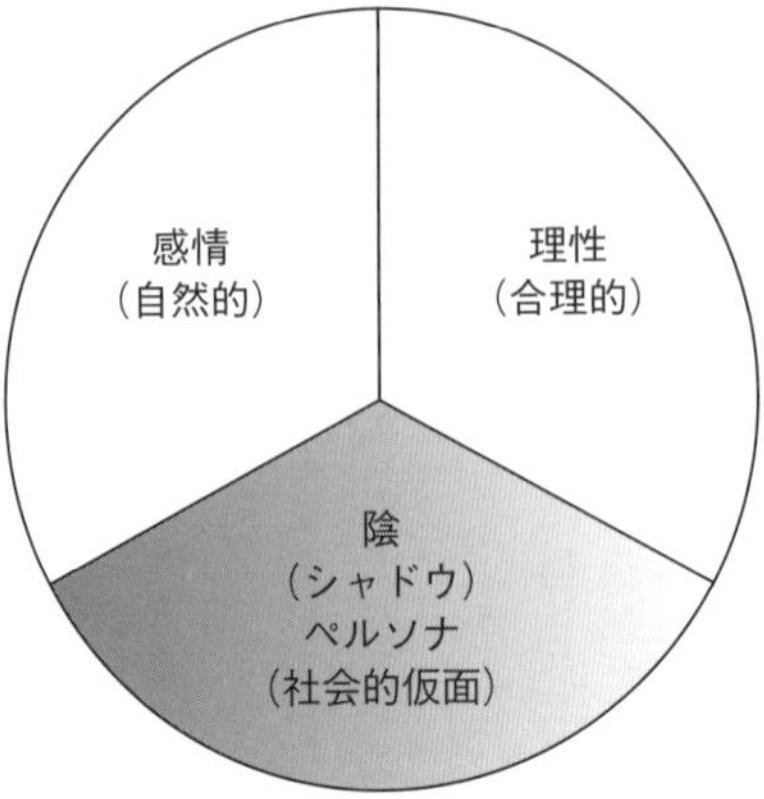

・陰（シャドウ）の部分は、社会生活ではペルソナ（仮面）で覆われている

ば、それは自己超越行為とは言えない。本当の自己超越行為は、親が子、子が親に対してではなく、利害関係のない支援の必要な人々（不特定多数）に対し、その必要性を認識して敢えて行うところにある。

自己超越欲求の一つの表れは、不特定多数の「名もなき苦しむ人々」に向かう無私の献身欲求なのであろう。そして、この欲求者は少数ではあるが、必ず社会に存在し、胸中、機会があれば「自らをいつかは捧げよう」と準備しているのだ。

マズロー理論にウィルバーの「自己超越欲求」を加えた欲望の六段階は、人間の精神進化のプロセスを示す。文明度に応じた人間の欲望の段階と方向が表れている。つまり、文明化に伴い人間の欲望は生理的欲求に始まり、ピラミッド構造図の上方にシフトしていく。

ここでウィルバーがインテグラル理論で示した興味深い「シャドウ（Shadow・影）欲求」に触れておこう（図表2）。

われわれが現代史をひも解いて理解に苦しむのは、文明社会において戦争や民族・地域紛争時に現れる凄惨な組織的虐殺・迫害だ。多くの場合、種族的・民族的・宗教的な対立から生じる憎しみの集団的シャドウ欲求から生じる。

この欲求は文字通り精神状態の「影の部分」に当たる。人は社会で、これを忌まわしい欲求として意識して自制し、普段は意識下に沈めておく。あるいは状況によっては、これを正当化して納得し、このシャドウ欲求に忠誠を誓うことも起こりうる。時にその欲求が高じて憎悪とか被害妄想となって突き動かされ、リベンジに向かう。そして暴走した挙げ句、集団犯罪を引き起こす。その典型例は、一国の独裁者が兵士や若者のシャドウ欲求を解き放ち、他民族や異教徒の抹殺に組織的に乗り出すケースだ。

シャドウ欲求は、本来の欲望充足にしくじったフラストレーション下で、心の裏側から現れる〝負の感情〟である。これが行動を煽り、個人的な関係相手だけでなく、見ず知らずの大勢の他者にも破壊的影響を及ぼすことにもなる。

あらゆる人間の陰の欲望が、何らかのきっかけで扉をあけて社会に現れ、暗躍しだすことをウィルバーは指摘したのだ。この負の感情は、二つの主役が演じる。憎悪と嫉妬だ。双方とも、愛とか献身とは正反対の、闇の領域に常駐する。愛と慈しみの感情に対抗する破壊の感情だ。ジグムント・フロイトの言う「死の本能」に属し、行動化されると自分ばかりか他者をも巻添えにして死に近づける。

とはいえ、人類の欲望の方向性を俯瞰《ふかん》する時、本来の生の欲望を阻害するシャドウ部分はあえて無視し、取り除いておく必要があろう。なぜならそれは実体の不透明性に加え、本来の欲望の姿を歪めて現れるためだ。

ここで改めて、マズローの欲求進化図の頂点にもう一つ「自己超越欲求」を加えてみてみよう。すると、それこそが集合的な人類の欲望の進化プロセスを示すことが分かる。

人は生の本能が促す生理的欲求から出発し、文明化に応じて階段をだんだんと上るように、頂上にある自己超越欲求に向かって進化していくのだ。

欲望追求の人類史

それでは、現代資本主義社会と人々の欲望はどのように関係しているのか——。欲望と経済の絡み合う関係を具体的にみてみよう。

経済の歴史とは、ざっくり言えば、欲望追求の歴史である。資本主義経済は、何より欲望の量と方向に沿って動く、と考えられる。有効需要とは「カネを持った欲望」であり、この有効需要を見込んで供給側が生産・サービスを提供しようと動き、経済活動が活発化する。

そこには、一つの欲望から始まり需給に至る経済連鎖現象がみられる。この需給の成立は、カネを媒介に交換の形で行われ、カネが回っていく経済循環を引き起こす。供給側は代金を回収するか支払いを約束されると、そのカネを素材や部品などの仕入れとか、設備の導入や人員増強といった新規の事業計画に回すことができる。その場合、代金を借金の返済とか貯蓄（内部留保）としない限り、新たな生産・販売を目指し、自分の欲しい原材料や商品・サービスの購入、労働者の新規雇用に向かう。

ここに需要―供給―需要の経済循環が発生し、「キャッシュフロー」が起こる。これがカネ回りのいい、好景気の状況だ。一国の経済がうまくいっているのは、このカネ回りが詰まらずに順調にいっている場合である。

反対に、カネ回りが悪くなり、多額の投融資資金がどこかに焦げ付いた場合、経済は円滑に回らずに不況に陥る。多くの銀行で不動産や株式・債券投資に貸したカネが回収できずに不良債権が膨張していった一九九〇年代の日本。当時の経済がその典型であった。大銀行の経営も大打撃を受けたが、その倒産は社会への影響が大きすぎる（too big to fail）として、政府は公的資金を投入して銀行救済を図ったのは周知の通りだ。

こうしたカネ回りの良し悪しで景気循環が生まれ、庶民の生活実感を左右する。どんな会社でも、カネが回っている限り倒産しない。「カネは天下の回りもの」でいる間は、どの会社も日々回転してやっていける。そこで働く社員はクビにならずに勤められるし、経営者も笑顔でいられる。カネ回りの良さを肌で感じて、国民の多くは「好景気」を実感する。

この好況の時期、経済活動の原動力となる欲望をみると、近年の特徴として先・中進国の大方の人々が自己向上に向けた投資や消費に動きだしている。自分の将来に備え、専門知識を積んだり、外国語を学んだり、資格を取ったり、フィットネスクラブに通ったり、健康に良いと思う食品や飲料を選んだりしている。自己向上向けの投資や消費が顕著に増えているのだ。高まる自己向上への欲望は、自分の価値を高めたいと願う。それは知識欲を刺激するため、情報通信技術の進化を促す。


ここで重要な点は、高度化した欲望の流れだ。人々は、利便性と情報を求めてスマートフォン（スマホ）のコンテンツやアプリケーションソフト（アプリ）など情報通信技術を利用するようになる。二〇一〇年頃から、スマホを手にする人々が世界中に爆発的に増えた。いまや街頭や電車内で、スマホから目を離さない人々の風景が広がる。家族や友人との電話、ＳＮＳや検索、メール受発信の利便性が受け、スマホはもはやいつでも持ち歩く生活ツールになった。

スマホの急激な世界的普及は、技術革新が一気に需要を呼び起して消費者を虜《とりこ》にしてしまった現実を際立たせた。欲望の刺激が経済の需給を活発化させる、そのセオリー通りの製品がスマホだったのだ。かつて欲望の大きな刺激物はパーソナルコンピューター（パソコン）であり、その前は自動車、もっとその前は家電であった。消費者を動かしたのは、「それが自分の世界を変えた」

からである。

デジタル資本主義の勃興

欲望が独りでに動きだすには、何らかの刺激が必要となる。性の本能的な欲望はとりわけ、刺激と想像によって起こり、高まる。

スマホの世界的普及は、欲望が一気に刺激され、経済を活性化させるには〝魔法の杖〟の要《い》ることが改めて示された。魔法の杖とはイノベーションだ。優れたアイデアから生まれたイノベーションが、市場に導入され強烈な刺激を放射する。そして、その技術革新の火がついに関連部品・サービスなど産業の山すそ部分に燃え広がることで、全産業に波及する経済発展を引き起こす。このイノベーションの連鎖が、欲望を眠りから覚まし、さらなる技術革新を生んで経済を成長させ好循環させる。この新たな経済局面は、人々の生活意識を変え、人生の再設計を迫ることになる。

一方、スマホの普及に象徴される二〇一〇年頃から、デジタル資本主義が世界に勃興する。この資本主義の性質変化は根本的に何を変え、その結果人々の意識をどこに向かわせるのか――。デジタル技術革新が生んだ経済・生活の変化をスケッチしてみよう。

米国でかつて大幅な経済成長と生活水準の向上をもたらしたのは、欲望を呼び起こすイノベーションの連鎖であった。ロバート・J・ゴードンが、大著『アメリカ経済　成長の終焉』（二〇一六年刊）にこう書いている。

「一八七〇年から一九七〇年までに（米国で）起こった経済革命は、人類史の中でも独特で、二度と繰り返せない現象である。……一八九〇年から一九二九年までの間に、電気、自動車、公共交通機関、公衆衛生設備は、特に都市においてはほとんど一夜にしてアメリカの生活を変えた。電話や蓄音機はこの画期的な変化の一部だった。電話線は、アメリカの全世帯の少なくとも半分、そして都市部の大半の世帯を連結し、電気、ガス、水道、そして下水管によってすでに外界とつながった『ネットワーク化された』住宅に、一層の結びつきをもたらした」（注1）。

イノベーションの波は、一九七〇年以降も情報処理、娯楽などの分野で続くが、画期的なのは九〇年代後半のインターネット革命だ。米マイクロソフト社が一九九五年に発売したＯＳ（オペレーティングシステム）「ウィンドウズ９５」。これが一般家庭や個人にもインターネットを急速に普及させた。

さらに米アップル社の創業者スティーブ・ジョブズが二〇〇七年に発表したｉＰｈｏｎｅが情報需要を爆発させる。一挙に普及していったスマートフォン時代が到来した。二〇二二年には、米新興企業・オープンＡＩが対話型ＡＩ「チャットＧＰＴ」を公開、生成ＡＩ時代の幕を開いた。デジタル技術革新の連鎖である。

ゴードンが指摘した通り一八七〇年（南北戦争後）から一〇〇年間の米国は、大発明が相次ぎ、米国の生活を文字通り一変させた。ゴードンは言う。「一八二〇年に生まれた子供を待ち受ける世界は、ほとんど中世と変わらなかった。ろうそくの炎に照らされた空間は薄暗く、具合が悪ければ民間療法にすがり、徒歩や帆船より早い移動手段はなかった」(注2)。

大発明が米国で起こしたこの「大いなる波」は、たしかに人類史上例を見なかった。なかでも電気、自動車、航空機は経済・技術革命の象徴だった。それは「文明の恩恵」として、地球上のどの国・地域にも導入され、今日あるグローバルネットワーク経済の基盤が築かれた。

現在進行中のデジタル革命は、どうか。旧来の仕事や生活にブレイクスルーを起こしつつあり、空前の新技術の連鎖を呼ぶ、との見方が広がる。

ゴードンはデジタル技術の革新性に懐疑的だが(注3)、エリック・ブリニョルフソンとアンドリュー・マカフィーは共著書『ザ・セカンド・マシン・エイジ』(二〇一四年刊)で、その革新性を高く評価する。デジタル・イノベーションがもたらした経済社会への巨大な破壊的創造の数々を記した。

その典型例が、技術革新で破壊されたアナログ写真だ。二〇〇〇年をピークにアナログ写真の時代は去った、と同著は指摘した(注4)。最初のアナログ写真は、パリの混雑した通りで一八三八年に撮影された。

ところがデジタル技術化で二〇一二年時点で世界の二五億人以上がデジタルカメラを持つようになり、一九世紀に撮影された全ての写真を上回る数の写真が一分おきに撮影されている。Ｉｎ ｓｔａｇｒａｍの画像共有ソフトを介して一億三〇〇〇万人が一六〇億枚もの写真を共有する。デジタル時代の経営も大変化した。Ｉｎｓｔａｇｒａｍはたったの一五人のチームが開発し、創業から一五カ月でフェイスブック（ＦＢ、現メタ）に一〇億ドルで買収されている。

写真の雄コダックは、その後どうなったか。創業は一八八〇年。最盛期に一四万五〇〇〇人以上を雇用し、サプライチェーンや小売店網でも大勢の関係者が働いていた。写真の決定的瞬間「シャッターチャンス」を意味する言葉は「コダックの瞬間」と呼ばれたほど、写真愛好家から親しまれた。何世代にもわたって創業の地、ロチェスター（米ニューヨーク州）の発展に貢献し、雇用創出を続けて中流所得層を増やした。

一九七五年に世界で初めてデジタルカメラを開発したが、急激なデジタル化の波に乗り遅れた。二〇一二年に米連邦倒産法適用を申請し、倒産する。

一方、二〇一二年当時、フェイスブックには年間七百億枚もの写真が投稿された。その時価総額は、ピーク時のコダックの七倍以上。ただし雇う人間の数は、かつてのコダックの十分の一以下という。その結果、フェイスブック経営陣には純資産一〇億ドル以上のビリオネアが七人誕生した。うち一人は、イーストマン・コダックの創業者ジョージ・イーストマンの一〇倍以上の資産を保有する。

フェイスブックは、ユーザー数が一〇億人に達した二〇一二年時点で従業員数は四六〇〇人、エンジニアは一〇〇〇人にすぎない。コダックの最盛期のわずか三％の従業員でやりくりしているわけだ。

　このコダック対フェイスブックのケースから、デジタル資本主義の衝撃が、垣間みえてくる。それは眩しい光を放ち、暗い影を宿し、奇怪な風貌を持つ怪物だ。光の部分はシリコンバレーの勝者によって作られ、称賛されるデジタル技術革新。目下進行するＩＣＴ（情報通信技術）革命は、ＡＩを中核に今後も不断に発展していくのは必至だ。とどのつまり、ＩＣＴはかつての蒸気機関や電気と同様の役割を果たすだろう。汎用の基幹技術として、次々に関連技術を呼び寄せ、ネットワークを広げ実用化を進めるのは疑いない。

『ザ・セカンド・マシン・エイジ』の指摘はこの点で的確だろう。経済学者ポール・ローマーが言及したように、アイデアの中で最も重要な、中核のアイデアを指す「メタアイデア」がアイデアを相次いで掛け算式に生んでいき、デジタル・ネットワークで相互にアイデアを結び付け、さらに新しい発見や方法を出現させる可能性が高まる。

　一方、もう半面の影の部分については、デジタル崇拝の影に隠れてごく最近までまともな指摘や批判は抑圧され、問題化することは稀だった。デジタル資本主義は、われわれの生活を一変したが、その幻惑的な果実ばかりが喧伝された。それが地球環境、貧しい人々、文明に及ぼした壊滅的影響はほとんど無視されてきた。

　米ＩＴ研究家のダグラス・ラシュコフによれば、デジタル時代の到来し始めた一九九〇年代はじめ、ラシュコフが「デジタル・ルネサンス」と呼ぶほど、それは輝いてみえた。サイバースペースは「新しい精神のすみか」と思えた（注5）。

その後、デジタル化への軌道は大きく曲がっていく、とラシュコフは指摘する。なぜ、いまのような姿に変わり果ててしまったのか。その理由を、ビジネス化が急速に進み、IT大手にプラットフォーム技術が支配されるようになったため、とラシュコフはプロセスの誤りを問題視する。企業化のプロセスで、デジタル技術は資本主義に結び付いてますます一直線に暴走するようになった、と分析したのだ。

デジタル資本主義の最も強烈な光は、「時間のカット」だ。そしてその最も暗い影は、そこから生じるアナログ型労働の排除、雇用喪失、低賃金である。

時間のカットはデジタル革命の核心部分に当たる。そのカラクリとは、次のようなものだ。スティーブ・ジョブズがiPhoneを労苦の末に考案したように、メタアイデアをひねり出すには、時間とコストが相当にかかる。ジョブズのように痛い失敗経験も必要かもしれない。しかし、そのコンテンツをひとたびデジタル化すると、コピーも切り分けもほぼ無料で短期間に、しかも無数にでき、広く共有できるようになる。

主たるビジネス収入は、広告収入プラスアプリ掲載料だ。メタアイデアが、デジタル通信による低コスト、短時間でのコンテンツの入手と転送・複製による広い共有を呼び起こした。これを基に新しい情報獲得とアイデアが生まれ、ニュービジネスの連鎖反応をもたらす——このような好循環がIT関連分野で展開し、一部でめくるめく成功を実現した。個人もデジタル技術を巧みに利用することで知見を増やし、問題解決に役立て、公私にわたりネットワークを拡充できた。技術進化の方向としては、ITイノベーションは人々の欲望の進化に沿ったものだ。それはムダな時間を省いて、日常の利便性を向上させ、新しい知識や美を得る喜び、課題解決、自己表現の欲望に応えた。

もう一つ、デジタル革命が生んだ成果にシェアリング・エコノミーがある。これは経済活動の一種の原始回帰で、行き過ぎた資本主義に修正を加える性質を持つ。

シェアリング・エコノミーとは、インターネットでSNSなどを通じてモノやサービスを交換・共有する経済活動で、米ウーバー社によるタクシー代行・相乗サービスがその先駆例だ。二〇〇九年に個人の一般ドライバーがウーバーと契約し、自家用車を使い有料で顧客を送迎する「ライドシェア」を米国で行い、世界的に事業を広げた。

ウーバーはやがて業務を委託した運転手兼配達人から訴えられ、社会問題化する。運転手らは業務を委託されて働くが、ウーバーの社員の身分ではなくマイカーを持つ個人事業主として仕事の指示に従う仕組み。このため事故に遭っても社員でないため労災保険が適用されず、補償されない問題が続出したのだ。これがデジタル経済下の新しい雇用問題として脚光を浴びる。

このような新種の社会問題として表れたが、シェアリング・エコノミーには資本主義経済の根幹を揺さぶる、人知れない破壊的創造力が秘められている。それは消費者が資本主義の前提となるモノの「私的所有」よりも、一時的にせよ「共有」、つまり「社会的所有」のほうを選ぶからだ。

むろん消費者のシェアリング・ライドを選ぶ本当の動機は、利便性と低料金であるが。米ニューヨークのグランドセントラル・ハイウェーでは四車線中、一番左端の車線が二人以上のライドシェア（相乗り）専用に割り当てられてある。相乗り車は右側車線が渋滞してもスイスイ走っていけるので、ライドシェア優遇の交通政策が効果を上げていることが分かる。

大都市で働く会社員数人が、配車アプリで予約して通勤のため同じ方向の目的地に向かう場合、一人当たり料金はバスよりも安上がりで済むようになる。到着時間も早い。最終目的地まで運んでくれる。雨の日や重い荷物を持ち運ぶ際の利便性も抜群だ。

こうしたカーシェアリングの性質から、バンコクやジャカルタのような東南アジア特有の交通混雑の激しい大都市で、カーシェアリング事業が独自の進化を遂げたのも納得できる。アジアの大都市では、二輪車のバイクタクシーがひしめき、本物のタクシーの脇をすり抜けるのが日常風景。運転手も競争に血まなこだ。タクシードライバーと並んで「白タク」、さらにマイカーを使って臨時収入を稼ぐ者も数多い。

本家のウーバーも、東南アジアで「配車二強」と呼ばれるグラブ（シンガポール）とゴジェック（インドネシア）との競争に敗れ、二〇一八年にグラブに事業を売却、市場からの撤退に追い込まれた。

配車二強の両社は未上場の会社だが、企業価値が一〇〇億ドルを超える「デカコーン」。三菱ＵＦＪ銀行は二〇年二月、七億六〇〇〇万ドルを出資する資本業務提携をグラブと結んだ。グラブのスマホアプリ「スーパーアプリ」を金融サービスでも活用し、東南アジア八カ国で金融商品や保険事業を展開する狙い、とされた。

グラブにはソフトバンクやトヨタ自動車、ゴジェックには三菱商事や三菱自動車、米マイクロソフト、米グーグル、中国のテンセントがすでに出資している。スマホの配車アプリを使った生活関連のネットサービス事業を共同展開する構えだ。

このようなカーシェアリング新興事業に大手国際企業が出資を惜しまないのも、そのデジタルビジネスに将来性を見込むからである。

注目すべきは、こうした国際的な企業の積極関与の背景に、カーシェアリングの形で消費者の価値観の変化がジワリと起こっていることだ。「所有の価値」から「共有の価値」への変化である。「共有」によって費用負担が減り、利便性が高まるとみたのだ。この価値観の変化は、意識と欲望の進化と表裏一体だ。

共有意識が需給を結び付ける。カーシェアリングに関わるマイカーのドライバーは、自分のクルマを「私有」している意識よりも、「自分のを利用者に使ってもらう」という「共有」の意識を持つ。半面、利用者が抱くのも「一時的にお借りして載せてもらう」という、やはり「共有」の意識である。双方ともにクルマをありがたく共有する意識で結び付く。

ライドシェアで、クルマの使い方は大きなターニング・ポイントを迎えた。日本政府は従来、タクシー業界保護を優先、ライドシェアを原則禁止としてきた。が、地方のタクシー不足を背景に風穴があき、解禁が決まる。ただしタクシー会社が運用管理するという「タクシー主、ライドシェア従」の利用者軽視の形だ。

ライドシェアの前史には、レンタカーが存在した。しかし、その「利便性」、「低コスト」、「手軽さ・自由さ」において、ライドシェアの優位性が目立つ。

レンタカーでは、営業所の営業時間外の早朝に出かけたり、遅く帰ってきたような場合、面倒になりうる。カーシェアリングなら、スマホで二四時間、予約や借り出し、取り消しが可能だ。利用する時間だけ借りればよい。一泊以上の旅なら、気に入ったクルマの「マイカーシェア（個人のマイカーをシェアする方法）」も、交渉して手に入れられる。

シェアリング・エコノミーの衝撃

モノの私的所有には通常、カネがかかる。その最たるものが恒常的にかかる税金だ。所有することがいかに高くつくかの見本に、自家用の乗用車がある。

あなたが東京・世田谷区に住み、新車を買うことにしたとしよう。まず新車の購入価格を消費税と共に支払わなければならない。同時に、自動車税や自動車重量税などが付いて回る。ガソリンで走る排気量一六〇〇ｃｃの小型乗用車を買ったとすると、自動車税は三万九五〇〇円（二〇二四年四月現在）かかり、しかも、愛車を持っている限り毎年四月に同じ額を支払わなければならない。いよいよ運転するとなると、ガソリンや、電動車なら電力が要《い》る。

燃料費だけでない。乗り回すうちにいずれオイル交換やタイヤ交換、電池交換も必要になる。所有という営為は、はじめのうちは新鮮な喜びがあるが、時間の経過と共にメンテナンスコストが生じる。そのコストとは経済的コストだけでない。クルマに飽きて愛着を失ったり、保管や維持が面倒になる精神的な負担コストもある。

経済学的にみれば、正の所有価値は負の負担へと性質を変えうる。バランスシートで表すと、「優良資産」だったのが、「不良資産」に変転する……。

この「所有」の持つ、普段は隠されている「負担部分」を知れば、安上がりで気楽な「共有」はじつにありがたい。「資産を持つ」ということは、「負債のリスク」をも併せ持つ——このように感じる消費者が増えれば増えるほど、「シェアリング・エコノミー」は利用を広げ、栄えていくだろう。

シェアリング・エコノミーの興隆は、資本主義の性質を変える。共有の価値観が高まりシェアされるにつれ、資本主義の私的所有という基盤はなし崩しに掘り崩されていく。シェアリングという社会的所有で一種の社会主義化が生じる。

欲望の「共有」へのシフトの影響は、二つの方面に表れるとみられる。一つは、個人消費への影響だ。共有の部分が増えるのに伴い、消費はその分抑えられる。ＧＤＰに対してはマイナス要因となる。

だが同時に生じるのは共有意識がもたらす分かち合い感、つまり共同体感覚だ。与える側と受け取る側の分かち合う喜びが、ある種の結び付きの連帯感情を呼び起こす。

結果、人類の太古の集団的感覚――狩猟・採集時代と初期農業時代の分かち合い経済時代の感覚が一時的に戻ってくるのだ。与え、受け取る喜びが共有される感覚である。この原始回帰の幸福の感覚が、来るべきシェアリング・エコノミーに付いて回るだろう。

これは二一世紀に入って以降顕著になったグリード（強欲）資本主義が、転換するか退化する兆しである。アリストテレスの言う「人間は社会的動物」の本質が、人々の生活に表れるのだ。この芽生えた共有思想が、よりはっきりと広く自覚されるようになれば、社会はますます社会主義思想に近づく。

その意味で、シェアリング・エコノミーの進展からわれわれは目を離せない。クルマや貸別荘に始まるシェアリング・エコノミーの進展スピードは、その有用性のゆえに後戻りしないだろう。

そうなると、次のように結論づけることができるかもしれない。

資本主義は発達して巨大な金融資本やＧＡＦＡＭに代表される巨大ＩＴ資本を生み、私的資産の格差を拡大したが、他方でシェアリング・エコノミーも進んだ。爛熟資本主義は、二極化の格差社会をもたらす一方で、徐々に一種の社会主義化が起こってきたのである。この新プロセスで資本主義史上初めて大々的に人々が自らの欲望と意思でモノの「共有」を市場で選ぶようになった。

この思いがけないシェアリングによる社会主義化現象は、発達した資本主義から社会主義が生まれると予言したカール・マルクスをはじめとする社会主義者の想定を超えるものであろう。しかし、一九六〇年代後半に筆者もその一員に加わった元「ヒッピーさすらい人」にとって、想像は難しくない。当時、タイの安宿に吹きだまりのように集まった欧米や日本からのヒッピーたちを思い出す。彼らは、ベトナム反戦を叫び、ビートルズに熱を上げ、マルクーゼやサルトルらの哲学論議をしながら、タバコや足りないものを分け合ったり、旅の情報を共有したものだ。誰もが、国境を軽蔑し嫌った「仲間」だった。私有するカネやモノをろくに持たないヒッピーにとって、「共有」と「助け合い」が、自然な親しみやすい生活感覚だったのだ。

「共有」が社会に広がる歴史的な意味は、有史以前の時代への〝先祖帰り〟にある。人間の階級社会ができる以前、小部族社会にあっては事実上の資産である石や木の道具や火は「共有」であった。むろん土地も共有であり続けた。

古代ローマのカエサルの時代になっても、ガリア北方のゲルマニーのスエビ族は、土地を部族の「共有」とし、一カ所に一年以上にわたる居住を禁じている、とユリウス・カエサルは『ガリア戦記』に書いた（注6）。騎馬戦の戦闘や盛んな狩りのため、部族は定住式より移動式の生活が好ましい、と考えたようだ。

シェアリング・エコノミーにみられる「共有」は、個人が自らの意思で便宜上選択するほんの一時の「共有」である。共有することで互いにメリットを見出し利益を分け合う、という動機に基づく。それは経済上の動機からだが、持ち主の所有権が変わるわけではない。政治目的や政治的信条によるのでもなく、経済取引として行われる。

したがって、増加傾向にあるシェアリング・エコノミーを選ぶ利用者が今後も増えるほど、その利用価値は利便性の向上や低価格性によって一層高まっていくだろう。その結果、共有式消費形態の増大が、ついには資本主義の性質を一変してしまうだろう。

デジタル資本主義は、その革新性ゆえに人々の意識を揺るがし、大きく変えた。デジタル革命がもたらした「時間のカット」は、活動時間を増やしただけでない。それは「時間の価値」を認識させ、人生の再設計へ多くの人々を駆り立てた。コロナ禍の閉じこもりが、この傾向をさらに強めた。多くの人々が、生をリセットしだしたのである。

シェアリング・エコノミー勃興が生みだしたもう一つの産物は、奥深い精神の変化だ。私的所有は往々にして競争心から来る強欲に促されるのに対し、共有は人や環境への配慮から発する。「共有」のエートス（精神的特性）とは「分かち合い」であり、共有経済の拡大に伴い、デジタル資本主義に特有の勝者総取り・一強他弱型の弱肉強食性は弱まる方向に働く。

分かち合いの喜びの再発見は、それまでの私的所有欲を満たす喜びとはまるで異なることが分かる。それは資本主義制度が前提とした私的所有にとって代わる本源的な分かち合いの欲望へ回帰する喜びだ。現行の競争と支配にさらされるデジタル経済のグリード資本主義への反抗、あるいはグリードの破壊にもみえる。

歴史を遡れば、分かち合い経済は、市場の経済に先立ち始原の時代からあった。一八世紀にイギリスの産業革命で始まった資本主義経済以降、本源的な分かち合い経済は駆逐されていったかにみえる。そのプロセスは、近代までヨーロッパで支配的であったキリスト教の精神に反するものであった、と言ってもよいだろう。キリスト教の本質は「愛と分かち合い」の教えだからである。

そう考えると、シェアリング・エコノミーの大いなる歴史的意義が浮き彫りとなる。分かち合う共有と共生の精神は太古からの人類の精神の復興であり、それはデジタル経済下で想像力によって呼び起こされた。分かち合いの利便性、経済性と喜びが想像され、ビジネス化されたのである。

ここに至って、分かち合い経済の新しい発展が考えられる。真っ先に浮かぶのは、協同組合とかイスラエルのキブツ（共同体経営）のニューモデルや、シェアリング・エコノミーの拡充と税制改革だ。

デジタル産物は、使い方次第で想像力を活発化したり、衰退化したりする。悪い使い方は、仮想世界に心をすっかり奪われ、自分を見失い、いいなりになってしまう。現実世界とのつながりを完全に喪失してしまい迷路にはまり込むケースだ。

いい使い方は、想像力を刺激して自分の世界と能力が拡大するケースだ。現実世界との接触を保っていることが重要となる。「（現実世界と自分を）もっとよくするには、さてどうしよう」という不断の自問が、想像力を活性化させる。すると、世界が変わってみえてくるのだ。

共有と共生の精神は、「相手（人や環境）と自分の立場」という関係性の想像力から発する。そこには「相手あっての自分」とする自覚があり、自己の一直線の欲望追求とはならない。一般に文明化され、洗練化した柔軟で思慮深い精神と言える。

デジタル資本主義のひと握りのＩＴ成功者たちとは対照的に、共有思想派は自分たちを自然から切り離さず、自然と対決して自然を支配しようとは思わない。自然と共生する環境意識から、彼らは自然との調和に注意を向け、共有経済に関心を寄せるようになる。

現実直視型の共有思想派と異なり、ＩＴ億万長者は無意識にみじめな現実から逃避したいという思考パターン「マインドセット」を持つ、とダグラス・ラシュコフは指摘する（注7）。イーロン・マスクがその好例だ。マスクが宇宙飛行イノベーションに熱中する理由は、パワーアップする一方のＡＩの脅威から自分の身を守るため、火星移住の考えに取りつかれたためという。

嫌な現実から逃れるために、ＶＲ世界を拡充すると言うＩＴ勝者の事業欲も、たしかにその逃避的な生活態度から生じたのかもしれない。重要なのは、ＩＴプラットフォームの成功もシェアリング・エコノミーの成功も、想像力の働きが母体となったことだ。想像力がブレイクスルーとパラダイムシフトをもたらしたのである。

想像力の働き

想像力が、人生にパラダイムシフトをもたらし、新たな挑戦に駆り立てて成功に導いたケースは少なくない。発達した想像力は、動き始めるとひとりでに、動き出し、せっせと新知見を得たり、次の行動のイメージを描く。

その典型例の一つが、トロイア遺跡を発掘したハインリヒ・シュリーマンだ。想像力が未知の場所へ見事に導いて、偉大な発見をもたらした。そのケーススタディは、われわれの生の設計になかなか役立つ。

その自伝によると、のちのトロイア発掘に決定的な影響を与えたのは八歳間近のハインリヒが、クリスマスプレゼントに父から貰った『子どものための世界歴史』に載っていた一枚の版画だった。その画には、炎上するトロイアの巨大な城壁が描かれていた。

ハインリヒはその本の著者はそこに描かれている通りのトロイアをみたのに相違ない、と思ったが、父はその画は想像して描いたにすぎない、と答える。

ハインリヒは言い返した。

「もしこんな城壁があったのなら、それがすっかり破壊されて、なくなってしまったなんてことはないでしょう。きっとまだ大きな跡が残っているに違いない。ただ何百年もの塵の下に隠れているんですよ」

この時、古代ギリシャのホメロスの英雄叙事詩「イリアス」に描かれたトロイアの発掘が、シュリーマンの生涯の夢となる。歴史哲学者アーノルド・トインビーは著書『歴史の研究』で、一度形づくられたこの夢は、シュリーマンの生涯を通じ不断のインスピレーションになった、と指摘する(注8)。

トインビーは、彼の夢が動きだした一六歳当時のエピソードをシュリーマンの自伝から引用する。シュリーマンはそこの食料品店の店員だった。

「酔っぱらいの粉屋が店に来たあの晩のことを、私は生涯、決して忘れないであろう」と彼は追想する。

その粉屋の若者は飲んだくれだったが、詩を愛していた。その晩、若者はホメロスの詩を百行ほど正しい韻律を守りながら暗唱した。シュリーマンは一語も理解できなかったが、言葉の美しい旋律から深い感銘を受けた。そこで彼は若者に三度神々しい詩句を繰り返させ、その礼にウィスキーを三杯ふるまった。

シュリーマンは自伝にこう書いている。——

「その瞬間から私は神に、み恵みによってギリシャ語を学ぶ幸福を与えて下さるよう祈願してやまなかった」

ギリシャ語は三四歳の時、貿易商をしていたクリミアで猛勉強を始め、二年でマスターして「イリアス」を読了した。

彼に夢を与えたばかりか、夢をかなえたのも、想像力の働きだった。財を成して発掘に臨んだ際、トルコ西のエーゲ海に近いトロイアの遺跡が眠るヒッサルリクの丘に目を付けたのも、『イリアス』から想像した結果だ。『イリアス』の描写に照らすと、従来の位置の解釈は間違っている、ホメロスのトロイアは別のところにある、と直観した。ギリシャ人だった第二の妻ソフィアの助力も得て、シュリーマンはトロイアの城をとうとう掘り当てる。

このトロイア発見プロセスは、生涯にわたり想像力が果たした夢実現の壮大な物語だ。想像力は『イリアス』をベースに、古代ギリシャの時空間を駆け巡り、未知の遺跡に到達したのだった。ジャン・ポール・サルトルは、その著『想像力の問題』で、イマージュ（像）とは本質的に、その構造自体の内部に象徴性を蔵している、と述べている。シュリーマンにとっての「象徴性」とは、少年の時に版画でみたトロイアのそそり立つ城壁であったろう。城の実在を信じて、そのイマージュを追ったのである。

好奇心と意識の拡張

シュリーマンのサクセス・ストーリーの主役は、少年の想像力を動かした、盛んな好奇心であった。「これ何なんだ？　本当はどうなんだ？」この好奇心こそが、無意識の海に沈んでいたアイデアや図形の象徴を掻き立てる「魔法のスプーン」であったのだ。
好奇心は問いを発する。そして、答えを求め、胸中をさまよい続ける。はじめに答えありきではなく問いから始まり、答えを求め、発見への努力を続ける。問いを追求することの重要さが、浮かび上がる。

このことは教育のあり方に重要な示唆を与える。答を覚えることではなく、答に至る問いの追求こそが、学びの本質なのだと。この点で、古代ギリシャの「哲学者」の定義は、正鵠を得ていた。彼らは哲学者を知恵を求める「知恵の愛好者《フィロソファー》」と呼んだのである。

話を想像力の働きに戻そう。創造行為のシナリオは、想像から始まり、シュリーマンが示したように次の段階を踏んで進む。創造活動を旺盛にするプロセスが、ここにあるようだ。

好奇心→想像力の働き→目的意識型行動→集中的想像→意識の拡張・無意識の活性化→創造活動

このシナリオを実現するには、いくつかの横たわるバリア（壁）を乗り越えなければならない。まず、知的好奇心が一定程度備わっていることが、乗り越えの前提条件となる。
といっても、その好奇心は豊かな感受性を基に美しさなどに打たれて、ごく自然に始まる。トマス・エディソンは幼少の頃、雨後の青空に虹がきれいに架かるのをみて、誰かが遠くで虹を天に架けているからと聞いて遠方まで探しに行った、という逸話がある。（誰が、どこから、どうやって虹を天に…）という素朴な好奇心が、幼いエディソンを駆り立てた。徒労に終わったものの、発明王の生涯最初の冒険的な探求であった。だが、好奇心とは、そもそもどこから発するものなのか。（何、これ。なぜなんだ？）という問いが、好奇心に伴って湧き起こる。好奇心は（何なんだ？）という問いを必然的に伴うから、その拠って立つベースには鋭敏な知的意識がある。

前述した創造活動のシナリオの前提条件となる好奇心は、結局、意識の産物なのであり、知識を増し意識が拡張していけば、好奇心もこれに伴って広がり、深まってゆくのだ。年と共に経験を積み賢明になる賢者とは、このように経験を積むごとに学習して、意識が拡張していく不断の意識の成長者である。

好奇心によって刺激された想像力は、どう働いていくのか——。たしかなのは、想像力の全てが好奇心の対象物に例外なく向かうことだ。興味を引かれたものに、想像力は等しく注がれる。だが、そこから生まれる結果は、その対象物が何か、によって天界から地獄の産物に至るまで散り散りに分かれる。善を欲するか、悪を欲するか、美や官能性を求めるか、真実を知りたいか、など想像力の行く道はさまざまだ。

想像力の大半の対象物は、世俗の地上にとどまるが、一部の物はより高みの天上に向かう。一方、奈落に向かって下降していく想像もある。ここから多種多彩な創造活動が始まる。

図表3　世界の見方

●真・善・美 → 世界理解に必要な知の３領域（プラトン）

真 → 客観的な真実 → 科学

善 → 間主観的（相互主観的）合意 → 倫理

美 → 主観的な経験 → 芸術

（ケン・ウィルバーによる）

● ４つの象限から世界を観察する

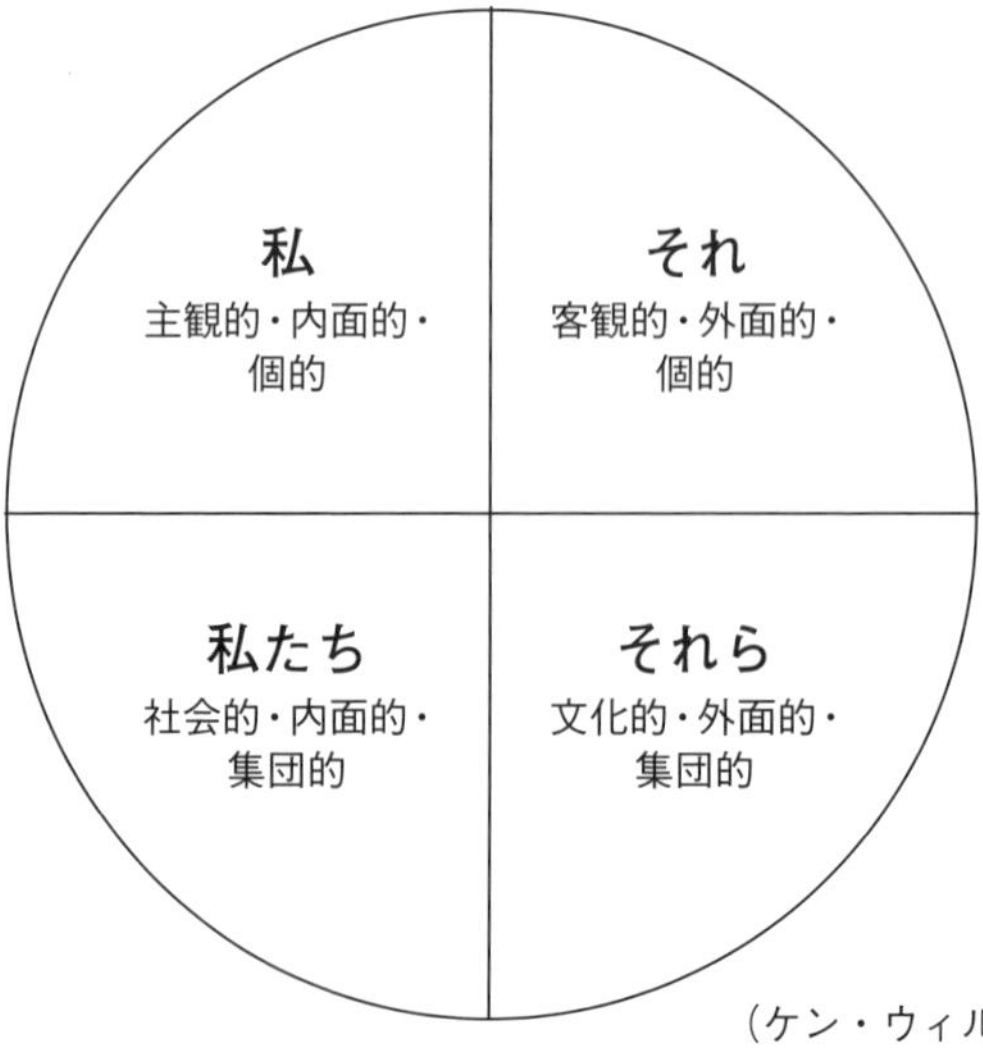

（ケン・ウィルバーによる）

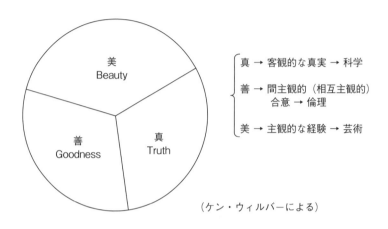

好奇心は知的意識の拡張と共に、拡大し深化する。それは常に意識の拡張・深化と連動していくのである。

このことは、知識を増すにつれ意識が拡張・深化し、好奇心も複雑化してますます広がり、より高次の対象物に向かうことを意味する。知的進化につれ好奇心も広がり深まっていくのだ。

好奇心の高次の対象物とは、一般的にプラトン哲学が示した、理性と感性が目指す「真・善・美」、言いかえれば「科学や哲学、宗教、文芸」と考えてよいだろう。日常の瑣事《さじ》という張り巡らされた一種の囲いを超越した領域だ。

とはいえ、それは世俗を軽侮して背を向けてしまう孤高の生活を意味しない。そうではなく、世俗に関心を寄せながらもその瑣末な雑事を超えた、より高次の非日常レベルで世界と自分に関して考える、ということなのである。

ここで、高次の好奇心となるものが自分の関心に沿った知的方向性を持つことが理解できよう。ゆえに好奇心の対象は、この方向性に沿って現れ、消え、また現れる。

そして、その知的方向性は精神的進化の水準に沿って定まるため、人の好奇心の対象は、その者の精神性を表すことになる。これを掘り下げていくと、精神的進化の結果、時空間のコントロールへの欲望が、次第に沸き起こり、意識化されてくることが分かる。

その理由は、シュリーマンの生涯に示されたように、創造的活動家の多くは素晴らしい時間と空間の場を何らかの形で劇的に表現しようと渇望するようになるからだ。あるいは、将来の夢みる特別な時間と空間を実現しようと、自らを創作や発明に駆り立てるからだ。

ゲーテが『ファウスト』で語った「人は努力する限り迷う（Es irrt der Mensch solang er strebt）」というセリフの深遠な意味も、理解できるだろう。究極的な願望である時空間コントロールへの困難な道のりを指しているのではないか。ファウストが悪魔に身を売ったのは、時間を遡って若返り、もう一度努力して人生をトライしたいと思ったためだ。努力して迷い、また努力する、それが人生——というゲーテの人生観が表れる。

こうしてみると、創造活動を呼び起こす想像力の働きは好奇心に発し、その好奇心のあり様《よう》は意識の状態から生成すること。創造活動には、はじめに好奇心が燃える意識の「日常からのはみ出し」状態が必須なことが分かる。

その意識のはみ出しとは、従来の日常意識の流れから外れることだ。「意識の枠外拡張」とも言えるだろう。そこから、創造行為を達成するそもそもの出発点に、想像力が働いて起こる「意識の拡張」がなければならない、という結論に導かれる。

無意識の躍動

意識は、無意識から分化してできたことが、ジグムント・フロイトらによってすでに証明された。C・G・ユングは、さらにフロイトの先を行った。茫漠とした無意識は、フロイトが考えるような単に個人的なものではない、人類に共通の、DNAのように継承された集合的無意識の重層から成っている、と主張したのである。

ユングによれば、個人的無意識の下層に眠る集合的無意識はあたかも井戸の下辺に広がる地下水のような存在だ。そこには遠い先祖に遡る貴重な経験知が蓄積されているが、意識はこのことに気付かない。放置したままその豊富な知恵の宝庫を活用しようとも考えない。わが家に立派に役立つ影の別人が同居しているのに、さっぱり目に入らず、気にもとめないようなものだ。

意識下の静まり返った地下水には、創造行為のヒントになる象徴《シンボル》が数多く含まれている。その地下水からわれわれは無限に水を汲み上げることができる。意識の井戸からこれらのシンボリックな断片を意図的に汲み上げていけば、あなたの想像力は活性化され、きっと実り多い創造行為が可能になる、とユングは言うのだ。

これは、すこぶる刺激的な主張である。あらゆる科学、芸術の発見や創造的産物には、素晴らしい象徴が含まれている。これらの象徴は、もともとわれわれの奥深い心底の集合的無意識の中に潜んでいたものだが、それを意識のポンプを使って吸い上げ、想像力で活用して作品に見事に結晶させることができる、というのである。

ユングは、それを「アクティブ・イマジネーション」と呼んだ。

だが、問題は、ではどうやって無意識の地下水から創造の種となる象徴を自在に取り出すか、だ。象徴自体は、実際、夢の中やリラックスした気分の中で、アイデアやヒントとなって現れる。しかし、それはあまりに唐突で、偶然の出会いのように思える。偶然にではなく、もっとひんぱんに、願えば確実に手に入るようにならないか。それを得た誰もがそう感じるに相違ない。

誰もが一番手に入れたいのは、インスピレーションを随意に呼び出せる技術だ。意識が必要とする時に無意識の闇から「これだっ（That's it!）」と叫んでしまうような閃きが欲しい。思念すれば、珠玉の言葉が天から降ってくるように、天上から至上の曲が突然、鳴り響いてくるように、とはいかないだろうか。

だが、心配はご無用。インスピレーションを随意に呼び出せるようになるカギは存在する。それもどんな引き出しのカギも開けられるマスターキーである。

このマスターキーは、しかし、頭脳の一体どこに隠されてあるのか。それを知るには、インスピレーションの起こるメカニズムを理解する必要がある。

インスピレーションは、予兆なくふいにやって来る。それは前触れもなく唐突だ。この稀有な瞬間をフリードリヒ・ニーチェが自らの体験から記している――。

「人は聞くのであって、求めるのではない。受け取るのであって、誰がくれるのかを問いはしない。一つの思考が、稲妻のようにきらめく。必然性を持って、ためらいを許さぬ形で」（注9）

インスピレーションが稲妻の轟き落ちるような衝撃で襲う。希有の完全な忘我の境地、たちまち圧倒されて呆然とたたずむ境地――ニーチェはこの霊感に促され、叙事詩『ツァラトゥストラはこう語った』の三部作全部を各一〇日ほどで一気に書き上げる。

霊感が去り、詩作の全てを仕上げた後、ニーチェはすっかり疲労困憊に陥ったと告白している。その間、あたかも熱病に取り憑かれ、いつもの自分ではなかったのだ。

しかし、後年の作品『この人を見よ』を仔細に読むと、ツァラトゥストラは一気呵成に書かれたが、その構想を得るまでに旅行と山歩きにたっぷり時間をかけていたことが分かる。

創作の閃きを得るには、旅行と山歩きが必須だった。「ニースの景色の中にある多くの目立たない一隅や丘などの忘れがたい瞬間」が、霊感を生み出す準備要素になっていたのだ。その間、ニーチェは完全な肉体的強健と霊感の到来を待つ忍耐深さを保持していた。

ここで方法論上注意しなければならないのは、準備期間の「構想プロセス」と、いよいよ構想が熟し、創作に打ち込む「創作プロセス」の取り扱いである。

あらゆる創造活動には、長い構想が欠かせない。ニーチェが明かした「ツァラトゥストラ各三部一〇日ずつ」という超短期の完成以前に、長期にわたる構想を〝暖めた時間〟があった。その構想期に行ったのが、南仏ニースへの印象的な旅や山登りだったのだ。

これらは、創作に直接関係しないかにみえる、「遊び」や「肉体の鍛錬」だが、それが最上の構想効果をもたらしたのである。

このエピソードは、創造行為を成就する上で重要な手がかりを与える。優れた著作をモノにするには、インスピレーションを得られればわずかな期間で事足りそうにもみえる。が、それ以前の着想に始まり研究や調査を経て構想を熟させ完成させるまでには、おそらく数年、いや時には一〇年か、それ以上の時間を費やす。ゲーテは『ファウスト』を、最初の着想から完成までに、およそ半世紀もの歳月をかけた。

それも一筋縄でいかない。中途で何度も壁にぶち当たり、曲がりくねり、後退し、迂回し、原案に手を加える。トンネルの闇の中、前方からようやく終着駅の光がみえてくるのは、おそらく完成間近に至ってであろう。

構想期とは、その内実は遊びと息抜きと不安の入り混じった、悩ましい〝心待ちと受け身〟の時なのである。ある意味、悲観して落ち込んだ青春の一時期がそれかもしれない。誰もの青春のその時期、不安と期待感とが高まる。だが、それは、やがて開花を告げる創造活動の懐妊期間の始まりではないか。

その長い構想の時期、人は通常、下積みの努力をコツコツと続ける忍耐の時を過ごす。エディソンが、忍耐の必要をいみじくもこう語っている。

天才（的事業）とは、九九％の努力と一％の才能の賜物である。

この箴言は、日本の諺「玉磨かざれば光なし」に相当する。創造行為の実現には、人知れない構想や物語作りの時間をかけた地道な下準備が大前提となるのだ。

むろん、この下準備段階は精神的にも肉体的にも苦労する。創造活動に関わりながら人はふつう、他方で食っていくための多忙な日常生活を送っているからだ。彼らはフリーランスのアーティスト、ジャーナリストやライター、翻訳家、講師、教員、通訳、アナリスト、漫画家、デザイナー、助手たちである。立派な創作を目指して努力しつつ、一方で毎日の糧《かて》を得る雑事に追われ、社会的に弱い立場からハラスメントも受けやすい。

そこには日常の稼ぐ仕事に、相当な労力と時間を費やさなければならない現実がある。夜、残業で遅く自宅に帰り、ようやく解放されるとあっては、疲れ果てて考える余裕などない。落ち着く間もなく、体力も使い切った日常では、考えることすらままならない。リモートワークはそれよりずっとましにみえるが、それでもオンライン会議や折衝の連続が自宅にいる解放感を奪う。ひょっとすると、くたびれ切って、将来のことを考える余裕などなくすかもしれない。

だが、苛酷な環境下でも、「ある種の工夫」によって魂の火を絶やさずに薪をくべ続けることは可能だ。いつの時代も、工夫を重ねる根気のあるチャレンジャーは存在する。そして、こういう人たち——時代の創造的反抗者が、いつでも社会の閉塞状況に突破口を開くのである。

「ある種の工夫」とは、むろん一つではなく、多種多彩にある。しかし、多様にみえても、そこには一つの共通項がみられる。

その共通項とは、「自らの魂の火を燃やす工夫」だ。各自が自己流の気に入ったやり方を工夫してひねりだし、自己超越欲求が生む創造活動を推し進める。体得した、そのコツを徹底活用することが成功の秘訣だ。魂の火を燃やす具体的な実技については別掲「資料」で例示しよう。

ここで、魂の火を燃やして絶やさない精神メカニズムについて記しておこう。

集中と気晴らし

精神の集中と気晴らしのほどよい調和と交互作用が、創造活動を円滑に進める。この集中と気晴らしのメカニズムが、精神のリズムを安定して保たせる。過度な疲れとストレスから保護し、創造活動の喜びの原点に立ち戻すことができる。こうして思考と感性にリズムが再び持ち込まれる。

全ての気晴らしは、集中への序曲となる。気晴らしを生活の緊張の中でその都度「統合プログラム」に組み込み、リズミカルに実践していくのが、全ての創造活動への道だ。「統合プログラム」とは、創作活動に向けた工程表式の全体プログラムを指す。究極の目標に向けた大雑把な工程表だ。ここに気晴らしプログラムを「○年×月、ギリシャへの旅行」などと記入する。

ともかくも目標追求者は自分なりの統合プログラムを作って目標に向かっていくわけだが、そ

図表４　意識と無意識の交流メカニズム

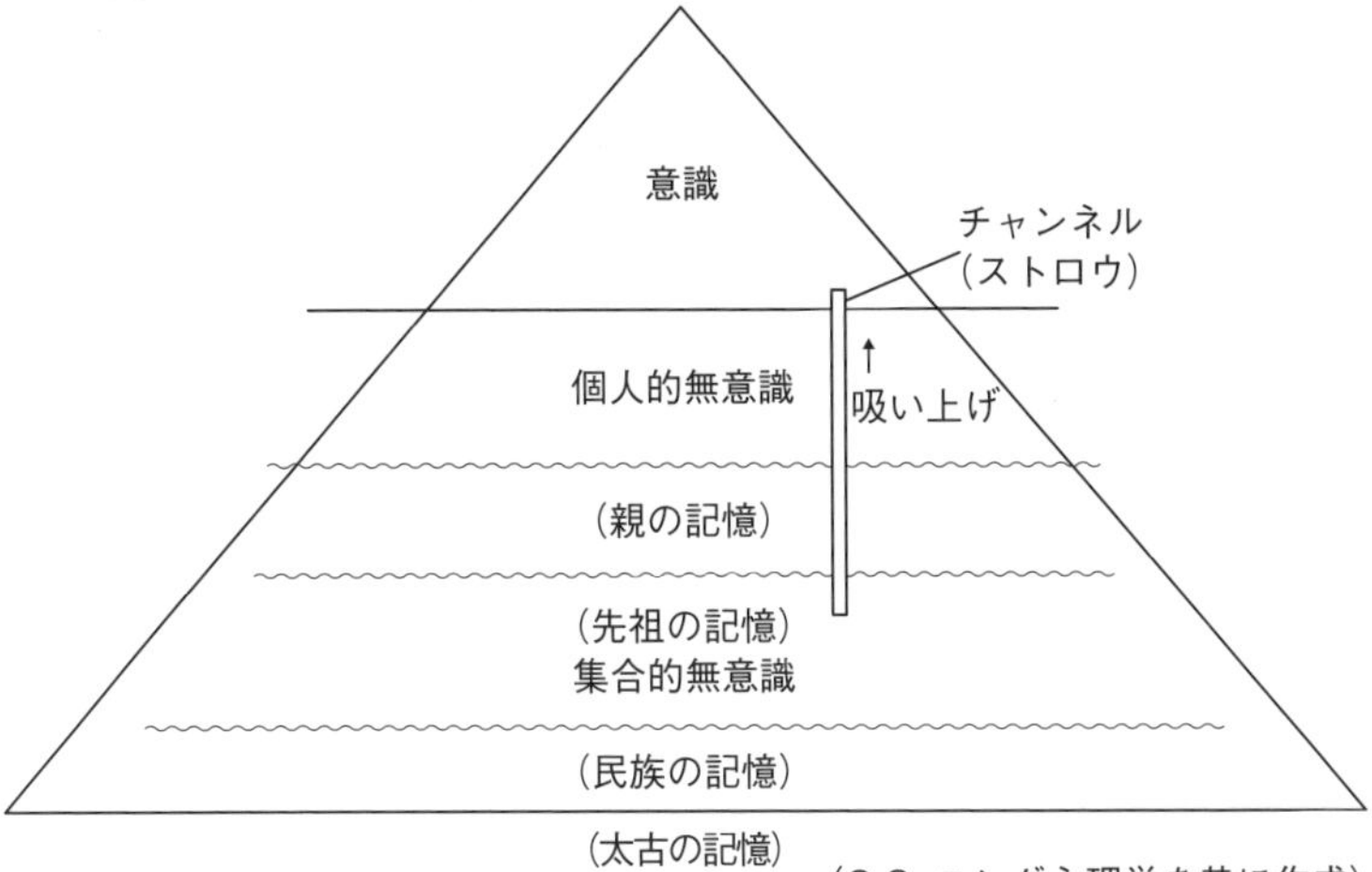

（C.G. ユング心理学を基に作成）

の両輪となるのが「意識の拡張」と「無意識の活性化」だ。意識と無意識は、嚙み合いながら文字通り「一心同体」となって働き合い高め合う。

意識の拡張と無意識の活性化は、精神の集中（緊張）と気晴らし（弛緩）によってもたらされる（図表４）。集中と気晴らしの交互作用がリズミカルに働いて、それを実現する。集中と気晴らしは、生命の躍動するリズムそのものにほかならない。

集中は意識を尖らせ、気晴らしは無意識を緩ませ、刺激する。意識と無意識は共鳴・協調しながら、着想を得て、目指す創作物の内容を整えていく。

意識と無意識の共鳴と協調のメカニズムが、創造活動に必須となる。すでにみたように、われわれの意識下に広がる海のような「集合的無意識」の中に、先祖代々の象徴的な記憶が眠っていることが、ユング心理学によって判明した。それらの

図表5　集中と気晴らし

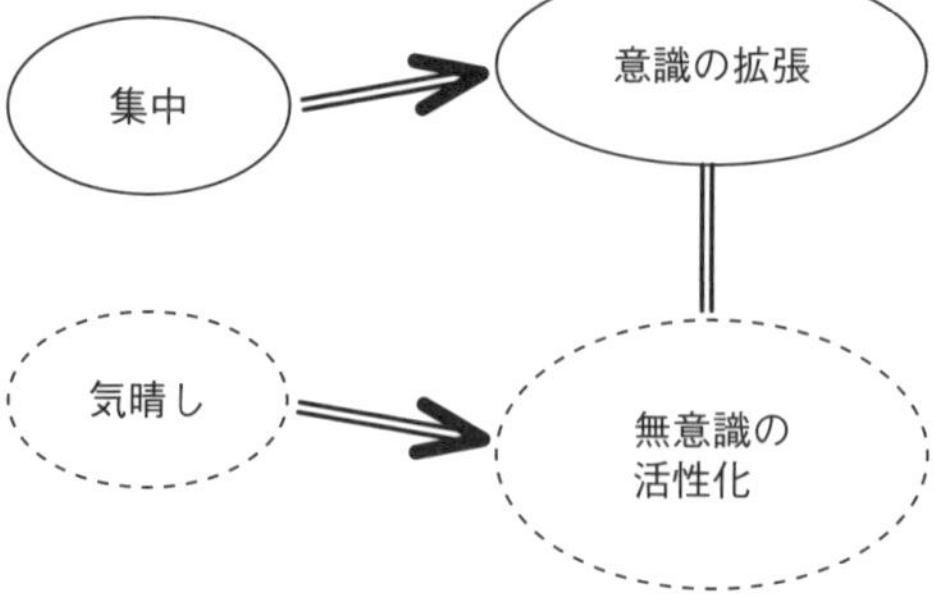

象徴が新しいアイデアや物語を生み出す。そこには過去の祖先たちの「集合知」が埋め込まれてある、と言ってよい。

では、どうやって集合的無意識まで届くストロウを手に入れ、随意に操作するか——それが問題だ。フロイトの言う夢判断を待たずに、欲しい時にいつでもストロウを操作して無意識の奥底から象徴的な言葉、構図、形姿、色彩、着想、物語、メロディを得られないものか——（図表5）。

ニーチェのツァラトゥストラの場合が、重要な示唆を与える。この叙事詩の全てを一カ月足らずで書き上げられたのも、自ら告白したように霊感を得たためだった。だが、その霊感の稲妻は向こうから突然襲ってきたという。「受け身」のオープンマインドの状態でいきなり稲妻に打たれたのだ。

このニーチェの事例が示すように、インスピレーションとかアイデアを得るのは、決まってオープンマインドの時なのである。窓を開け放って風を迎え入れるような心の具合なのだ。

風呂の中でゆったりくつろぐ武田信玄、早朝の平和な静かさに浸るスティーヴン・キング、ベッドで安らぐチャーチル、自然に親しむ芭蕉、ワインを手にするゲーテ――その創作や戦略に取りかかる直前の精神は、いずれも心をなごやかに開いたオープンマインドの境地にあった。受け身の心構えが、稲妻のように霊感を呼び起こす。

この受動型心構えをこしらえるには、次のようにするとよい。創造活動を始める数日前、「自分のお気に入り」状況を作り、心の窓をあけ放っておく。すると、ほどなく伝書鳩のように、アイデアやヒントがひとりでに訪れて来るはずだ。

このオープンマインド状態は、精神が最高にリラックスした時に起こる。ウィリアム・ブレイクが一〇歳の時、「神に見つめられた」と驚がくしたのも、おそらく寛いで世界をぼんやりと眺めていた瞬間であったろう。ダ・ヴィンチが『モナリザ』をあれほど生き生きと描けたのも、同様の精神状態に違いない。その優しげな微笑と丸やかな手。ダ・ヴィンチはおそらく描いていくうちに彼女の美に陶然として、彼女の美しいイメージが目に焼き付いたのだろう。美しさに「引き込まれる」こと自体が、すでに心が十分に開かれているのだ。

受け身のオープンマインドとは、能動に転じる前の一種の〝待ちの状態〟なのである。待ち望む受け身の状態でゆったりと構え、エネルギーと心の動きを整えて次の行動に向け準備しているのだ。

オープンマインドが、新たな風を受け入れる窓になるばかりでない。それは無意識から霊感やヒントを受け取る心の「キャッチャー」をつくる。これが誰もが創造活動の出発点となる心理状態だ。
　こうして創造活動は、受け入れ規制を設けない、原則・来訪自由のオープンマインドから始まる。そしてそれが、勝手に動いて無意識世界の奥深くから肝心なものをストロウで探りだす。そうしているうちに、その深みから自らの作品の核となる象徴を吸い上げるようになるのだ。

　意識―無意識の相互交流のメカニズムは、この上なく重要だ。意識が集中してアイデアを無意識の水層から汲み上げようとすると無意識が刺激され、双方の交流が活発になるからだ。無意識は、自らの分身（意識）のために与える役目を果たして満足する。ヒントや知見を得た意識のほうは、もはや以前の意識ではない。賢く進化したのである。
　これは、まさしくI am not what I was.、「日々新たなり」の進化状況だ。自分の精神は従前の尺度では測れないほど大きく成長したかもしれない。古い尺度では、もはや自分を測りきれない。

　精神の王国には時間の限りがなく地上の年齢がないから、こうした奇跡的な状況が起こりうる。少年期の肉体のように知恵もまた老人になっても急激に成長することが、大いにありうるのだ。
　このように、一つの目覚ましいアイデアを得て意識が拡張する。拡大した意識は、喜びを自覚してさらに新しい発見を、アイデアを探し求めるようになる。こうして、意識の拡大運動が自動的に始まる。意識は無限軌道を走るように止まらない。これが「知恵の愛好者」である科学者や探求者たちの多くが辿る学究行路だ。

一方、対を成す無意識のほうも、意識の側からの「アイデア請求」を受け、滅法忙しくなる。ただし働き方は好対照だ。無意識は意識とは反対に、眠ってからの夜が出番となる。意識が朝と昼の勤務なのに対し、無意識は主に夜勤を担当する。そして、眠りに入る前に意識が頭に描いた宿題を、無意識は意識の就寝後、こっそり引き受け、主人が眠っている間に解答を模索する。朝、目覚めると、懸案解決のヒントが不意に頭に浮かぶことがあるのも、無意識の働きのせいだ。

意識が時間切れで放り出した課題に、無意識は何とか応答しようと働く。意識からの注文が増えるほど、無意識は仕事に多忙になって活性化していく。

意識と無意識による絶妙の協力作業の実りは、豊かこの上ない。米ハンバーガーチェーンのマクドナルドの創業者レイ・クロックは、この実りを信じていた。自伝によると、彼は一日の激務を終えて深夜、ベッドに寝てあれこれと課題の対策を考える。ひと通り考え終えると、自らに――「さあ、これで大丈夫だ。眠りに就こう。あとは（潜在意識に）やってもらおう。頼んだよ」というような自己暗示を掛ける。それから足の先から暖まるのをイメージすると、すぐに眠りに落ちたという。翌朝、彼は無意識が用意したアイデアを胸に晴れ晴れとした表情で出社した（注10）。

ユングが明らかにしたように、無意識は、われわれの意識下にあって、古《いにしえ》から集積した人類の知恵を密かに埋蔵している。創造的人間は、この「知恵の宝庫」に入り込み、創作に必要な分をこっそり持ち帰る一種の合法的宝庫荒らしかもしれない。すでにその多くが、それを意識して自己流に実践しているに違いない。

無意識が埋蔵する宝（象徴）は、何よりユング自身が持ち帰り、「集合的無意識」の存在を発見した。これによって、人類は住む地域や肌の色を超えて、人類共通の経験が蓄積された「精神的基盤」を共有し、これに共感したり理解したり、活用することができた。世界文学に国境を越えて人々が感動するのも、人類共通の生活体験から精神的基盤を共有して、共感できるからだ。「彼女の苦しみはよく分かる」「彼を非行に走らせたのも同情できる」などと共に悩んだりする。

この意識―無意識の交流を随意操作できるようになれば、しめたものだ。人類の精神は、より高次の「創造的生」に向け、進化の段階をよろめきながらも上っている。そして各人の工夫次第で、この〝魔法の杖〟を手に入れることは十分に可能になる。

実務能力の進化

あなたがコツをつかんで、無意識から創造的アイデアを汲み上げる方法を会得した後の物語を作ってみよう。ここからアイデアを生かして成案を作り上げる実務の世界に入る。ＩＴソフトや工業的製品の設計のような場合、任された設計者は全体像のデザインを自らイメージして原案を手がける。通常、原案はトップダウンされ、細部が決まっていく。

いまやあなたは独自のリラックス状態を作り出し、随意にアイデアを生み出すようになったと仮定しよう。企画立案や対応策、解決案などにあなたのアイデアを適用して、会社や取引先や消費者や仲間から力量を認められ、信頼を一層高めた。サクセス・ストーリーが実現した。

すると、受注が急増したり、新しい問題を次々に任され、おのずと時間に追われる身となってくる。あなたは、いつしか超多忙となり、能力向上をさらに求められる。

当然、難易度の上がった厄介な問題が、波状的に押し寄せてくる。その解決に、決められた日時までに立ち向かわなければならなくなる。あなたは、生成ＡＩも活用してこの高次の難関を乗り越えなければならない。

一般論として超多忙下の最適問題解決法に、次の「車輪回転式」が考えられる。

- 複数の問題解決に同時並行的に対処する
- そのために課題ごとに短時間集中対応し、車輪を回すイメージで、複数のタスクに順繰りに取り組む
- 一定時間後、あるいは翌日とか一週間後と日を置いて、同じ複数のタスクに再び順繰りに取り組み、一部解決もしくは解決にさらに近付ける
- 解決した課題は車輪から外し、代わって新しい課題を吊るし、問題解決の「車輪」を回し

図表6　車輪回転式思考

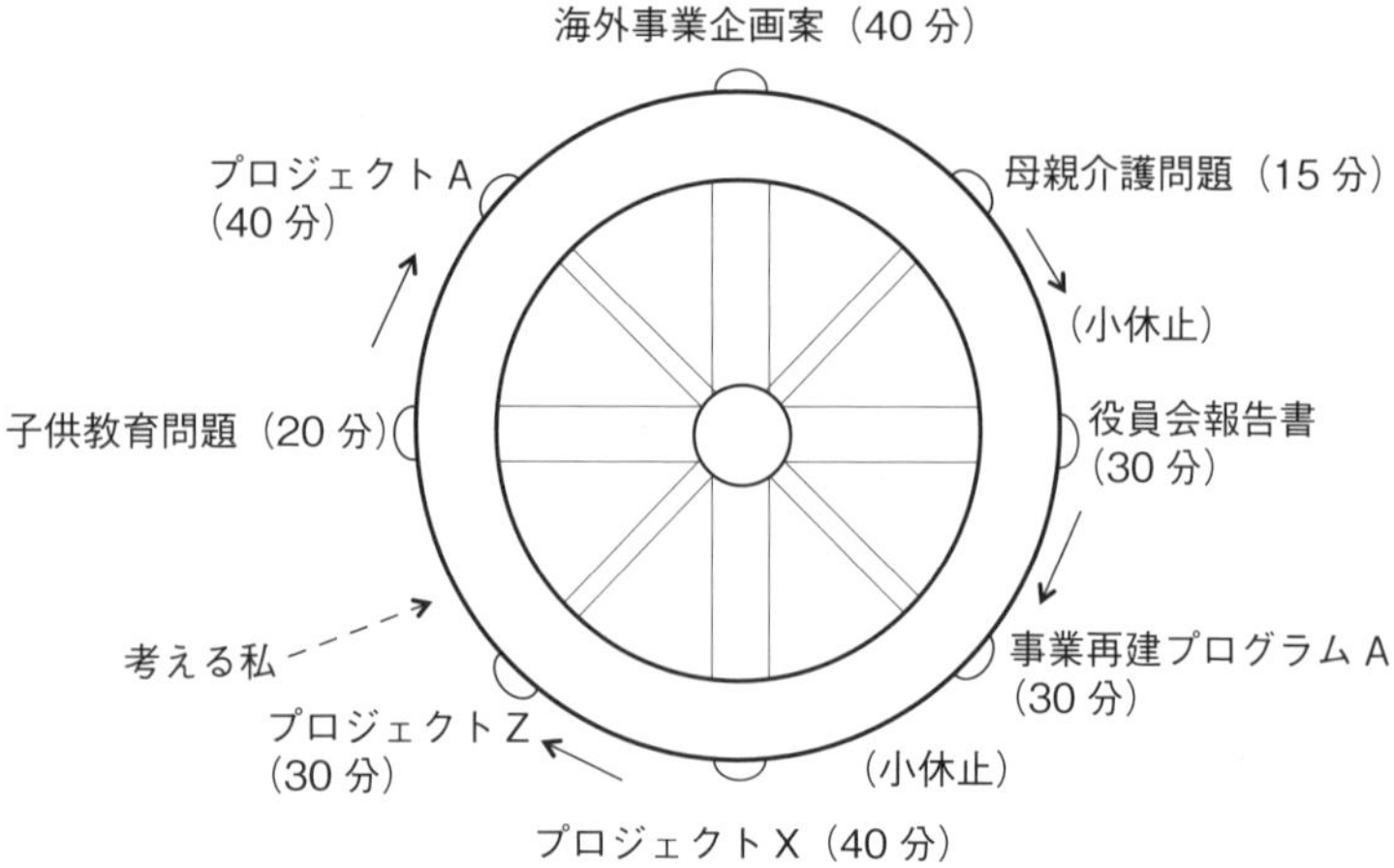

続ける

この「車輪回転式」問題解決法（図表6）の利点はまず、課題ごとの短時間集中により、取り組みのスピードが増し、全体の解決効率が上がることだ。長めの一定期間内でみると、数多い課題への同時並行型思考は、思考を活発に、ダイナミックに躍動させ、飽きることもない。その結果、解決策案出のスピードが飛躍的に上がってくる。したがって、全体の問題解決に要する時間は大幅に短縮され、事は早期に解決する。

　そして、注意を各タスクに短時間集中し順繰りに回すことで、意識は注意力を想定以上に増す。連れて意識下の潜在意識を刺激し、協力者に引っ張り出して一層活性化する。こうして、意識と無意識の交流メカニズムが、フル回転するようになる。

この車輪回転式で、問題ごとに視野を移動させ、注意力を短時間に別のテーマに移し替える。これにより作業にリズムが導入され、一気に生産性が高まる。

強まったリズムは同時に、心を弾ませてワクワク感を与える。この興奮感情で仕事の楽しみがひと際増す。調子に乗って疲れすぎないよう、務めて心を落ち着かさなければならないほどだ。仕事の大変さは、仕事への熱中で吹き飛んでしまう。

この車輪回転式は、同時並行型取り組みを時間割制にしたものだ。これをイメージするには、名シェフの調理現場を思い浮かべるとよい。多数の品数を一定時間内に同時並行作業で手際よく作り上げてゆき、全料理をほぼ同時に、美しくおいしそうに仕上げる。

みていると、シェフはフライパンで牛肉をジュウジュウ焼きながら、鍋にジャガイモをはじめ野菜をたっぷり入れたスープをコトコト煮込み、同時にもう一つの小鍋で玉子を、トースターでパンを焼きながら、振り向いて大きな取り皿にサラダを盛っている。はじめから作ってあったのはデザートだけ。

この余りにもムダのないシェフの動作。一つのプロセスをごく短時間で終えると、別のプロセスに取り組み没頭する。これが同時並行作業の粋である。この美技は、決してロボットにはできない。人間の持つ、この最高に美しい、この専門的な汎用技術を、知的解決の分野で応用するのである。「車輪回転式」が、その最適解決法の一つであることは疑いない。

さて、もう一つ、別の角度から創作活動の「火を絶やさない方法」を探ってみよう。フランス国歌を一晩で作った天才のような「一日だけの天才」は少なくない。あるいは、ほんの数年で枯れてしまう天才もいる。一九世紀フランスの詩人アルチュール・ランボーは、一五歳から詩を書き始め「酔いどれ船」、「見者の手紙」など、革命の詩人として台頭した。が、二〇歳になると詩作はパッタリ途絶える。

創作活動に必要な「魂の火」が、年と共に消えてしまうケースは珍しくない。高齢化と共に活動力の衰退はやむを得ない——そう諦観するのは、むしろ「当たり前」と受け取られている。だが、衰退は押し戻し可能で、必然ではないのだ。

老齢になり肉体が衰えても、例外的に何食わぬ顔で活動できる「秘密の手法」がありうる。老いてから自らそれを編み出し、驚異的な活動レベルを保った実存主義哲学者カール・ヤスパースのケースがそれだ。秘密の手法をみつけるまで、ヤスパースは自分をひどく卑下し、自信をすっかり失っていた。

「私は死んだ人間だ。多くの人にとって私は堪え難いものであろう。何かの友との魂の一致はもはやなく、女性への愛もなく、何かを生み出す力もない……」

これはヤスパースが病気で伏していた二一歳の時の日記である（注11）。病弱な体質であったため、何度か病魔に侵されるが、二度の戦争も生き延びた。戦後、反ナチ・反戦の実存主義者として世界的に活躍する。

ヤスパースは若い時から頼りにならない自分の身体に、ほとほと悩んでいた。約束の最後の瞬間にキャンセルしなければならないのを恐れ、何事にも「期限」を設けることを嫌ったほどだ。何をするにも「一時間しか持たないのでは」と不安を感じ、気分が休まらない。

だが、彼はついに最善の対処法を発見し、身体的不安を克服した。晩年の自伝『運命と意志』にこの発見を記している。

新しい発見とは、〝短い緊張〟を繰り返す仕事法だ。

「私はそのつど一時間しか教壇に立つことができなかった。家で仕事をする際には、もちろん、執拗に短い緊張を繰り返すことによって短時間の機会を捉えることを連ねながら、私はなにがしかのことを成しとげることができた」（注12）。

つまり、身体の調子をみて一五分とか二〇分の短い間、創作や事務仕事に集中する。疲れてきたらソファーに横たわって少し休み、元気を回復するとまた机に向かって、仕事を再開する。これを何度か繰り返し活動量を上げるという手法だ。

スポーツのインターバル・トレーニングに似た知的運動術である。他人《はた》からみると「妙に落ち着かない奴だ」と思われるに違いないが、本人にとっては最上の手法なのだ。（したがって、この方法は秘かに人のいない場所で実行したほうがよい）。

ヤスパースは浮き沈みのあるその精神状態から躁うつ病か、それに近かったと思われる。事実、自伝によると、好調な時には外観は力強かった。こう自己描写している。

「背が高くて、態度には力があり、大きくはないが、力強く講堂に響く声を持っていた」

自分自身も、病気が信じられないことがしばしばあった。自分が偽っているのではないか、とさえうさんくさく思った。「家に帰ると、またすぐに横になる」生活だったからだ。本人は病人と自覚していたが、回りはそうみていない。むしろ精力的で疲れ知らずの活動家とみる。

重要なのは、こうした中で自己流の短時間集中法を編み出したことだ。病弱で老齢の域に達したのに、ヤスパースは生涯の最期まで何食わぬ顔で創造活動を続けた。

生命のリズム的躍動を上手に生かしたのだ。不調な時はムリせず控えめに行動する。好調な時に——シェイクスピアが言ったように「満ち潮の時に波に乗る」方法で、活動量を盛り上げた。「おおわが満ち潮よ、来たれ」と、いつも念じていたに相違ない。

このインターバル型短時間集中法は、注目に値する。その基本は、先述した「車輪回転式」思考に似ている。少しの間隔をあけて短時間に仕事に集中する方式だからである。そのようにして、仕事は生命のリズムに乗って捗ってゆく。これは生命のリズムを生かした仕事のテクノロジーなのだ。

このように、意識と無意識が交流してアイデアを内心の泉から汲み上げる。そして、これを車輪回転式思考でリズミカルに処理し、課題を解いていく。車輪を回しながらの短時間集中思考——というのが、この方式の要諦である。

真・善・美の追求

では、日常的な問題処理を超え、究極的に目指すわれわれの自己超越的目標とはそもそも何で、どこに向かうのか。

これは人類の精神進化のあるべき究極目標と重なり合う。なぜなら、意識の拡張と無意識の活性化により進化した人間精神は、その目標をさらに従前の日常性を超えた高次のレベルに引き上げようとするのは、必至だからである。

比喩的に言えば、「日常性のレベル」とは「カネと権力が支配するカエサルの世界」に属する。そしてそれを超えた「高次のレベル」とは「永遠の世界」である。

その「永遠の世界」とは、「真・善・美」の世界ではないか、とみられる。嘘のない真実と、喜びと平和を与える善と、感動させる美の世界ではないか、と。

プラトンはその第七書簡で、魂を燃え立たせる「魂の火」に言及した。この火が他者の魂に飛び入り、感動となって燃え移る。魂の火はメラメラと燃えさかって、イデア（永遠の普遍的実在）の真・善・美へと向かい、他者の魂に飛び火していく――。

コロナ禍の嵐が過ぎると共に、プラトンの説いたイデアが古代ギリシャの時代から甦り、人類の追求すべき普遍的目標として再び浮上するのではないだろうか。これが世界の賢人たちによって明確に示され、多くのフォロワーがこの集合的目標を意識して自らの生涯目標に取り入れる動きが、世界のそこかしこに広がる――混沌の中で、そのような新時代が到来しつつある、と思われるのだ。

その意味で、新たなイデアの追求は、コロナ後の人類史における一つの哲学的、科学的思考の包括的な到達点となるだろう。同時に、それは、精神界の進化に向けた晴れやかな出発点ともなるのではないか、と考えられる。

しかし、古代ギリシャを思わせる真・善・美の追求が八〇億人超が住む地球で実際に起きると想定した場合、「真」と「美」についてはありそうだが、「善」はありそうにないと疑う識者は、少なくないであろう。「善」は政治的、経済的に利用される、うさんくさい規制基準になりうるから、絶対の「真」や「美」とは性質が違う、とみる向きもあろう。

だが、「善」の定義を次のようにみなせば、善の追求も大いになされる、とみてよい。善とはどのようなものか、について「自分を受け入れること」を基準にする。善とは、自分にとってよく、自分と同じ立場や同じ思いの者にとってよいことなのである、と考えてみる。

そう仮定すると、悪意のない人は、全て「善良」とみなされてよい。悪意がなく善良ならば、彼（彼女）は自分に対し建設的であっても破壊的・否定的ではありえないからである。自分にとって好ましいのである。とどのつまり、いい人は自分を受け入れ、肯定し、好意的かつ建設的なのである。

川端康成の『伊豆の踊り子』に、踊り子が胸をときめかした旅人の若者のことをこう言う場面がある。「いい人はいいね」。

そう、いい人はいいから、善いのである。

したがって、風景が暗くかすむ黄昏《たそがれ》の時代、善の追求も真や美と並んで、活発になされていくに違いない。

こうして、コロナ後の世界は、混沌を極め、渦を巻きながらも全体として真・善・美に向かうだろう。

この見立てを次に、技術史に照らして近未来を想像してみよう。技術の飛躍的な発展に伴い新時代が開かれた最初の事例は、蒸気機関の発明が導いた一八世紀英国・イングランドの産業革命ではない。それより三〇〇年ほど歴史を遡る情報技術の大変革に着目する必要がある。

一五世紀半ば、神聖ローマ帝国（現在のドイツ）でヨハネス・グーテンベルクによる活版印刷技術である。これがイタリア・ルネサンスの勃興を準備した。その一年ほど前に、イタリア・ルネサンスの華となったボティチェリがフィレンツェに生まれている。

活版印刷技術は、それまで手書きか木版印刷だったものを、活字を組み込み並べた組版（活版）をつくり、それに塗料を塗って紙に転写し、印刷する方法に変えた。聖書をはじめ書籍や情報の大量印刷・大量配布が可能になった。

印刷物が普及したお陰で、一般市民にも読み書きが普及した。市民は教養を高め、知的好奇心が膨らんでいった。この文化水準の向上が、ルネサンスを印刷業が進んだヴェネチアなどで一六世紀にかけて勃興させる一大要因となる。

活版印刷で最も多く出回ったのは、ギリシャ語、ラテン語による聖書だった。このことが聖職者の堕落に対する信徒らの怒りを呼び起こした。一六世紀にカトリック教会が発行した罪の許しを償う免償符（免罪符）を大々的に販売していた神聖ローマ帝国（現在のドイツ）で、ついに宗教改革の火の手が上がる。

カネで免償符を買うことで罪が償われるとした教会に憤った修道僧のマルティン・ルターが一五一七年、ヴィッテンベルク教会の扉に「九五カ条の論題」と記した文書を貼り出したのだ。この文書が、活版印刷によってヨーロッパ中に配られ、知られるようになって、各地でカトリック教会に反抗するプロテスタントが生まれる。

このように、グーテンベルクの活版印刷技術は、ヨーロッパにルネサンスと宗教改革の種を蒔《ま》き、近代へ橋渡しする情報革命を引き起こした。

では、現代の急速に進化するデジタル情報技術は、われわれをどこに導くのか。

グーテンベルクが引き起こした情報革命に照らしてみると、パソコンを普及させたマイクロソフトとグーグル、アップル、フェイスブック（ＦＢ＝現メタ）、アマゾンらＧＡＦＡＭなどのＩ

ＣＴ先駆者たちは、来るべき新ルネサンスや新宗教改革を下ごしらえする役割を担ったのではないか。

グーグルはウェブで情報を集め、それらを関連させた検索エンジンを作って情報を広く検索できるようにした。アップルは手の内に入るスマホで電話や情報の受発信、検索、ＳＮＳ、オンライン会議を行い、音楽からゲーム、写真、動画、映像、本まで楽しめるようにした。アマゾンは紙の本を電子化し、スマホを通じて普及させ、通信販売を拡大した。フェイスブックはＳＮＳで仲間うちを増やし、情報や写真を交換し合えるようにした。

グーテンベルクの印刷技術の発明からおよそ六〇〇年後、ＩＣＴ革命がここ一〇年余で瞬く間に世界を席捲した。ＡＩをはじめデジタル情報通信技術の発展は二〇一〇年代に入って急進展した。生成ＡＩの登場に至って世界は仰天した。

当時の印刷情報革命と現代のデジタル情報革命、当時のペストと現代のコロナの災禍が、二重写しとなって映る。

これから先、コロナ後の世界はどのようになるのか。それを見定めるため、ペスト・パンデミック後のルネサンス期イタリアの都市風景に戻って変化の状況をみてみよう。

人々の日常生活の外観において、当時のイタリアは驚くほど現代社会に似ていた。ルネサンス史研究家のヤーコプ・ブルクハルトによると、

「ここイタリアでは、人の外見やその身の回り、そして日常生活の風習からして、この国以外の諸国民に見られるよりもいっそう完全で美しく、いっそう洗練されている」

とりわけ女性は、美しく見せようと懸命だった。

「特別注目に値するのは、化粧法のあらゆるテクニックを使って自分の容姿を根本的に変えようとした女性たちの努力である」（注13）。

当時のイタリア市民は、男も女も洗練度を高めようと競い合って、あれこれ工夫していた。現代の市民の多くとなんら変わらない日常風景だった。文化の香が一般市民に及んでいた。ルネサンス期の時代精神は「美の追求」だったのだ。

このように文化が美に向かっていく中で、約三〇〇年の間、文芸復興、人間復興とも呼ばれるルネサンスが百花繚乱と花開いたのである。

レオナルド・ダ・ヴィンチ、ミケランジェロ、ラファエロ、ボティチェリ、ティツィアーノらの画家や彫刻家が、存分に腕を振るった。建築ではサン・ピエトロ大聖堂の建築に関わったブラマンテ、その遠近法的設計に影響を与えたダ・ヴィンチ、ダヴィデ像を作ったミケランジェロ、現ウフィツィ美術館を建設したヴァザーリなど。いずれもルネサンス期を代表する美の追求者たちだ。

これとは別に、文学の追求者たちがいた。うち少なからぬ者は、人の世の「真実」の追求者だ。その作品の中には、この時代に成立した「小説（ノベル）」もあった。

ボッカチオの『デカメロン』が、その代表作の一つだ。これは一四世紀半ばに大流行したペストを逃れ、フィレンツェ郊外に引きこもった男三人、女七人が恋愛や失敗、夫を騙す話を披露するという趣旨で、フィレンツェの方言で書かれた。散文文学の傑作と言われ、のちのシェイクスピアらに影響を与えた。

当時、ペストによる死者はヨーロッパで地域により人口の三割から五割にも上ったとされる。新型コロナ・パンデミックが、当時のペストに似て文学にも新しい風を吹き込むのは必然だろう。

文学史上に光を放つダンテの『神曲』、政治学の古典となったマキャベリの『君主論』も、イタリア・ルネサンスの産物だ。

ルネサンスの影響はイタリアの北方や西方にも及んだ。オランダのデジデリウス・エラスムスの王侯貴族らを風刺した『痴愚礼讃』、英国の体制を風刺したトマス・モアの『ユートピア』、フランスの随筆文学の先駆者、ミシェル・ド・モンテーニュの『エセー』、獄中で構想を得たというスペインのミゲル・デ・セルバンテスの冒険小説『ドン・キホーテ』などの名作が生まれる。

「北方ルネサンス」と呼ばれた一五〜一六世紀のドイツやネーデルランド（オランダ、ベルギー）では、絵画の巨匠が続出した。アルブレヒト・デューラー、ルーカス・クラナッハ、マティアス・グリューネヴァルト、ハンス・ホルバイン、ピーテル・ブリューゲルらだ。筆者はニューヨークのメトロポリタン美術館でホルバインの肖像に出会った時の感動を想い出す。イタリア・ルネサンスが及ぼした知的影響に、戦慄がゾクッと背を走った。

肖像画の中のハンサムな若い男は、手に古代ローマの喜劇作家テレンティウスの本をさりげなく持っている。その本には、こういうセリフが書かれてあった――「真実は憎しみを生み出す(Truth breeds hatred)」


テレンティウスは、その戯曲『おのれを責める者』で次の警句を発している――「わたしは人間だ。だから、人間に関する一切のことと無関係とは思えぬ」(注14)。

人間への飽くなき関心がうかがえる。

人間の観察を深め、その潜在能力を解放したルネサンスの比類のない影響力が分かる。一四～一六世紀にわたるこの時期に、「真」と「美」が追求され、一六世紀ドイツに起こって波及した「善」の徹底追求、すなわち宗教改革とが重なって、ヨーロッパ近代社会への移行が始まった。


ここで疫病パンデミックの影響をペスト以外にみてみよう。世界的な大流行といえば、およそ一〇〇年前のスペイン風邪が思い当たる。これが戦争の終結に影響した。

第一次世界大戦下、一九一八年の欧州西部戦線。パリを目前に進撃していたドイツ軍が、なぜか撤退し始める。軍事機密とされ、撤退の原因は秘匿されたが、兵士の間に高熱のインフルエンザが広がり、部隊は戦闘不能の状態に陥ったという。

研究書によると、世界で死者は第一次大戦の四倍もの四千万人、日本国内では内地に限っても四五万人に上った（速水融『日本を襲ったスペイン・インフルエンザ』）。ドイツ軍の最高指揮官だったエーリヒ・ルーデンドルフは、戦後の回想記で「西部戦線のマルヌの戦いで敗れたのは、参戦してきたアメリカ軍のせいではない。あのいまいましいインフルエンザのせいだ」と述べている。

この悪質な風邪は、これ以後一九二一年までの三年間、世界中に流行する。これがコロナウイルスだった可能性も否定できない。スペイン由来ではなく、米国発のようだったが、スペインで初めて報道されたことから「スペイン風邪」と呼ばれるようになる。前線の背後でも、徴兵できる成人男性は減った。厭《えん》戦気分を蔓延させて大戦終結を早める要因となった。

疫病パンデミックは、素敵な文化の普及にも一役買った。一九世紀に英国で大流行したコレラ。これが英国で紅茶を飲む「アフタヌーンティ」という習慣を生み出す引き金となった。このお茶の時間が世界に広がってゆく。

紅茶は発酵させた茶葉に湯をさすと紅褐色になるので、そう呼ばれるようになった。発酵させないと茶の色は緑色になる。紅茶も緑茶も飲んでおいしく体にいいので、客人のもてなしにも用いられた。

お茶発祥地の中国では、茶を飲む習慣は古くからあり、唐の時代（西暦六一八～九〇七年）になると中国全国に広がった、とされる。日本への茶の伝来は平安初期。一六世紀の戦国時代までに千利休らが茶道を確立した。

紅茶は英国が一七世紀にインドに東インド会社を設立後、中国から英国に輸入され、英国貴族らが親しむようになる。

しかし、高価だった紅茶が英国の庶民一般に普及したのは、コレラがきっかけだった。ロンドンで数万人がコレラで死に、テームズ川の汚染水が原因と疑われた。生水がコレラを媒介するとして熱湯で入れる紅茶が飲まれるようになる。この習慣が普及して、ゆったりと優雅なアフタヌーンティの習慣が英国に生まれ、世界各地に広がっていったのだ。

アフタヌーンティの習慣は、生活を一変させた。疲れが出て空腹になる午後のひと時、菓子と共に茶を楽しみ、友人たちや家族と歓談する。「ゆったりとくつろぎ会話を楽しむ時間」をつくったのだ。日常の仕事の緊張の合い間に「余裕と楽しみ」を持ち込んだのである。

午後の紅茶を始めた王侯貴族の貴婦人は、ベッドフォード公爵夫人のアンナ・マリア（一七八三〜一八五七）といわれる。

一九世紀英国の貴族の食生活は、昼食から夕食までに時間が空き過ぎていた。紅茶研究家の磯淵猛氏らによると、当時の貴族は朝にたらふく食べる食習慣だった。「イングリッシュ・ブレックファースト」と呼ばれる、たっぷりのミルクを使った紅茶のブレンドティにお好みのはちみつや砂糖を加える。食卓にはソーセージ、ベーコン、ビーンズ、トマト、マッシュルーム、フライドエッグ、パンなど、沢山盛られた。

昼食は、朝の満足から軽く済ませる。少量のパン、少しの干し肉、スクランブルエッグ程度と簡素なので、すぐに食べ終わる。

が、夕食となるとまた一変する。社交を兼ねた賑やかな晩餐となり、ごちそうが出る。音楽会や観劇を終わって夜の九時頃ともなると、お腹は鳴るくらいにすいている。

そこでアンナ夫人は昼食から夕食までの間、空腹を防ごうと考えた。焼き菓子やサンドイッチをつまみ、お茶を飲み、茶菓子で客人をもてなすようにしてはどうだろう、と。客人たちは「ドローイングルーム」と呼ぶ応接室に招かれ、特別なひと時を過ごすことになる。この催しが大変な評判となって、アフタヌーンティの社交が貴族の間に普及していった。

一八五四年、ロンドンで発生したコレラ禍は、生水を飲むのを恐れた一般市民にまで貴族のアフタヌーンティの習慣を広げていったのである。

茶の需要の急増を受け、英国は茶の栽培を東インド会社のあるインドやスリランカで行い、成功させる。高価な中国からの輸入茶を減らすことで安価な茶を供給できるようになり、紅茶はますます広く愛飲されるようになった。

天然痘ウイルスが仏教を広める

日本での感染症の社会的・文化的影響は、どうだったか。

まず奈良時代の天然痘の影響が挙げられる。それは、日本に仏教を普及させるきっかけとなった。聖武《しょうむ》天皇が治めた天平の時代、天平文化が花開いた奈良時代の最盛期であった。奈良の都・平城京は碁盤の目のように街が区画整備され、貴族らが住む家は瓦で葺くことが奨励された。「あをによし奈良の都は咲く花のにほふが如く今盛りなり」と歌われる繁栄ぶりであった。

しかし、天平は地震や天然痘の大流行、飢饉に襲われた大災厄の時代でもあった。畿内を壊滅させる大地震の翌七三五年から七三七年にかけ流行した天然痘は、天然痘ウイルスが病原体だ。当時の人口の三割前後が感染し、一〇〇万人以上の死者を出したともいわれる。七三五年に太宰府に帰国した遣唐使や、新羅使が疫病を持ち込んだようだ。

藤原不比等《ふひと》（藤原鎌足の次男）の国政を担っていた子四兄弟（武智麻呂、房前、宇合、麻呂）が、全員天然痘で死亡し、大災厄に悩んだ聖武天皇は仏教に救いを求めた。

聖武天皇は諸国に国分寺（僧寺）、国分尼寺《にじ》を建て、それぞれに七重の塔をつくった。その総本山として東大寺、法華寺を建立し、東大寺に大仏をつくった。建立の意図は、仏による救いであった。

その詔《みことのり》には、「天皇の位に就き、人民を慈しんできたが、仏の恩徳はいまだ天下にあまねく行き渡っていない。三法（仏、法、僧）の力により、天下が安泰になり、動物、植物など命ある全てが栄えることを欲する」とある。

大仏は七四五年に制作が始まり、七五二年に完成した。高さが一五メートル近くに及ぶ。建立に使用された銅の量は約五〇〇トンにも上った、とされる。お釈迦さまの伸長を一〇倍すること によって、無限大の宇宙を表現した、ともいわれる。

天然痘の流行に打ちのめされた庶民の間に、仏教への信仰がみるみる広がっていった。日本全土に仏教文化が根付いていったのである。が、それだけではない。天然痘は七四三年に聖武天皇が発布した墾田永年私財法という、荘園発生の基盤となった土地法を生み出す引き金ともなった。これは、それまで律令が定めた「公の土地」を覆し、開墾した土地は自分の「私田」になる、とした土地私有制度への大変革である。

天然痘の蔓延や自然災害で飢饉が発生する災厄下、めっきり衰退した農業生産力を回復させる狙いがあった。社会的経済的困窮は極まっていたが、改革の結果、律令体制は崩壊に向かう。開墾して私有地とする動きが活発化し、豪族や貴族、大寺院による荘園化へつながっていく。天然痘は宗教、文化、法制度を劇的に変えたのだった。

ここに疫病の「役割の逆転」をみることができる。それはいわば悪を働きながら、善をもつくる役割だ。思いがけない「負」から「正」への転回である。

天然痘は感染力がきわめて強く、死に至る病として恐れられた。治癒しても顔面などに醜い痘痕《あばた》が残るため、忌み嫌われた。その恐怖は、黒死病ともいわれたペストに匹敵するだろう。ペストは致死率が高く、発症するとリンパ腺が膨れてクルミ大もの腫瘍となり、皮膚下の内出血から体が黒ずんで、死に至る。

天然痘は、しかし、ワクチン・種痘の接種が普及し、世界中で発生率が激減、WHO（世界保健機関）は一九八〇年、天然痘の根絶を宣言した。以後、患者の発生は地上のどこにもみられない。天然痘は人類史上初めて唯一、根絶に成功したウイルス感染症とされる。

だが、ペスト菌に起因するペストのほうは、なお根絶に至っていない。主にネズミに寄生するノミによって伝染するペストは、いまだにワクチンが開発されていない。適切な抗菌薬による治療が行われなかった場合、ほぼ一日〜七日の潜伏期間を経て、患者の三〇％以上が死亡する。

日本でのペスト流行は比較的小規模だったが、明治三〇年代に死者数千人を出す感染が起こった。この時、ペストはネコのペット化を推進する役割を果たした。

その前年、一八九六年（明治二九）年に横浜に入港した中国人船客から初めて感染者がみつかった。ペストの原因はネズミにあり、と東京や横浜でネズミ駆除のためのネズミ買い上げ運動が始まる。

この時期にペスト菌を発見した愛猫家の医学者、北里柴三郎の提唱が、ネズミ退治のために人々を「なるほど」と飛びつかせることになる。その提唱とは、「一家に一匹ネコを」と家でネコを飼うことだった。ペスト菌を持ったネズミは、ネコに捕らえられ、食べられるか、襲撃を恐れて家から退散する。ネコはペストのネズミを食べてもペストにかからない。これをきっかけに、人々はこぞってネコを飼うようになった（注15）。

ネコのペット化が進む中、小説の名作も生まれる。夏目漱石が一九〇五（明治三八）年に俳句雑誌「ホトトギス」に発表した『吾輩は猫である』だ。ネコからみた人間模様が風刺的に描かれた。

ネコはその後、犬と並び人に親しまれるペットの横綱格に格上げされていく。北里や北里の招きに応じて来日したドイツの医学者ロベルト・コッホの呼びかけも働いて、日本のペスト禍は収まっていき、以後も小規模散発型で終わる。日本では一九二七（昭和二）年以降、国内感染例はない。

振り返れば、日本におけるペスト禍は政府・自治体の徹底した防疫対策――なかには「ネズミ一匹につき五銭で買い上げ」を議会で決めた東京市のケースもあった――ネコのペット化推進、庶民の衛生管理が成果を挙げ、中国や欧州、中東など諸外国・地域に比べ遥かに効果的に抑え込むことができた。その防疫策の一つの結果、日本でネコのペットが急増したのだった。

このような歴史の道に照らすと、デジタル技術文明が興隆する最中《さなか》、突如生じたコロナパンデミックの影響は意味深長だ。

コロナは人々を外出・移動・集会制限によってバラバラに分離し、世界中の日常生活をマヒさせた。巣ごもりを余儀なくされた人々の多くは、自分の世界に引きこもり、生活の先行きに不安を覚えた。疫病を防ぐのが精一杯の、なすすべない無力さを痛感した者も少なくなかった。

コロナ禍でマスクの着用を余儀なくされると、人々の顔は目ばかりとなり、表情は失われた。異様な「コロナ現象」が世界に蔓延した。

だが、この個々人の生活変化から生じたそれぞれの内的変化はどんな社会現象をもたらすだろうか――。おそらく次に起こってくる社会・文化現象は、グーテンベルク以後に似てくるだろう。現象の中心に真・善・美の価値の見直しと、その盛んな追求が現れてくるのではないか。

真実としての科学、哲学、文学、善としての社会・経済活動、教育活動、美としての絵画、彫刻、建築、音楽、文筆、映画、演劇、スポーツ、ショウなどの途方もなく広範な分野で、熱気がひと際、高潮のようにうねり盛り上がっていく可能性が高まる。それらは、混沌とした姿をとりつつ、普遍的な知見の獲得や感動をもたらすだろう。

「ニュールネサンス」とか「ニュースーパーカルチャー」「スーパーライフフィロソフィー」などといった言葉が、流行《はや》るかもしれない。コロナ前に比べその全ての新用語が、意味深くなっていくことだろう。

この新しい時代の潮流は、コロナの時代に地下水となって流れ行き、コロナが収束したあと、目に鮮やかな姿を地上に現してくるだろう。そして、その現れ方は、多くがおそらくバンクシーが先駆的に象徴するように、既存の系統や伝統からはみ出し、既成価値とされたものに反逆的、挑戦的に、その内在的価値（意味）を顕示することだろう。そこから、深い内面世界と気品と内在する意味が伝わる――そういう創作物が世界中から澎湃《ほうはい》として生まれてくるのではないか。ある意味、新ルネサンス時代の到来である。

その創造的な作品群には、一つの共通した特徴があることだろう。それらの作品には、時代に特有のエートスが宿っていて、どんなに異様で波乱し、破天荒にみえる表現も可能にするかのようだ。

そのエートスとは、風である。風は常に千変万化して、ひと所に定まらない。とどまることなく、時に嵐となって吹き荒れて襲い、やがて過ぎ去って行く。風は突如として現れ、来る方向も去る方向も、強さも弱さも気まぐれに変化し、流れ行く。

新時代の創造行為の担い手たちは、この精神に駆動されているのだ。その作風は風のようにみえる。「風は思いのままに吹く」（ヨハネによる福音書3―8）のである。ヨハネはこれに続けて言う。「霊から生まれた者も皆《みな》その通りである」

このヨハネの言葉どおりに、創造的精神は風になって気ままに吹く。吹く風となって行き先に着き、そこで渦巻いてまた新しい風となって吹きだす。時に嵐となり、時に人を和ますそよ風ともなる。

コロナ後の世界は、あらゆる風が世界中で思いのままに吹く世界になろう。

（注1）ロバート・J・ゴードン『アメリカ経済　成長の終焉』高遠裕子、山岡由美訳（日経BP社）

（注2）ゴードン　前掲
（注3）ゴードンは前掲書で、ロボットについて人間の汎用能力を獲得するには至っていない、人間労働の補佐役にとどまっている、と主張した。
（注4）エリック・ブリニョルフソン、アンドリュー・マカフィー共著『ザ・セカンド・マシン・エイジ』村井章子訳（日経ＢＰ社）
（注5）ダグラス・ラシュコフ『デジタル生存競争（Survival of the Richest)』堺屋七左衛門訳（ボイジャー社）
（注6）ユリウス・カエサル『ガリア戦記』中倉玄喜訳（ＰＨＰ研究所）
（注7）ダグラス・ラシュコフ　前掲
（注8）アーノルド・トインビー『歴史の研究』下島連ほか訳第二〇巻（経済往来社）
（注9）フリードリヒ・ニーチェ Ecce homo『この人を見よ』ニーチェ全集第14巻所収（理想社）
（注10）レイ・クロック自叙伝 Ray Kroc:“Grinding It Out”
（注11）カール・ヤスパース『運命と意志』林田新二訳（以文社）
（注12）ヤスパース　前掲
（注13）ヤーコプ・ブルクハルト『イタリア・ルネサンスの文化』新井靖一訳（筑摩書房）
（注14）テレンティウス『おのれを責める者』。Terence: The Self-Tormentor (with an English Translation by John Sargeaunt) Harvard University Press “I am a man, I hold that what affects another man affects me.” p125
（注15）北里は香港でペストの調査に当たった際、患者の家のあちこちにネズミの死骸が放置されているのに気付き、研究室に持ち帰ったのが、感染経路発見のいきさつだ。以後、北里はペストを根絶するためには、ペスト菌を保菌するネズミを駆除する必要に思い至る。　上山明博『北里柴三郎　感染病と闘いつづけた男』（青土社）

Ⅱ　時空間意識の拡張

瞬間の永遠

われわれの生命は、誰しもがいずれ終わりを迎える。秦の始皇帝が渇望した「不老長寿の仙薬」は、永遠にみつからない。古代メソポタミアの世界最古とされる叙事詩の英雄、ギルガメシュが求めた「永遠の生命《いのち》」は、決して得られることはない。

人の一生は、あらゆる生命同様、自ずと限りがある。これを儚《はかな》いとみる者もいれば、哀《あわ》れとみる者もいる。そして親しい者が死ねば、悲しみに襲われる。人は通常、自分は死にたくないと思い、生ある限り幸いを願う。

老いると人は「あの頃はよく働いた」「若い時はいい時代だった」など、いつしか青春期や働き盛りの輝いた頃を懐かしむ。

幸福は不幸と同じく、時間の経過と共にふいにやって来る。そしてその晴れ間も荒天も、やがて何事もなかったように去って行く。

人間は時間的存在であり、空間的存在でもある。いわば時空間的存在だ。

人生の時々に幸福と不幸とがやって来る。老いて振り返ると人生の一番いい時とは、幸せであのワクワクした時期、心身共に充実した、どんな困難も乗り越えられると思えた時であったろう。

幸福をひとたびかみしめると、どんな心境になるか。この素晴らしい時をもっと引き延ばし、持続させたい、と思うようになるだろう。それは、いまある幸福の時が去ることなく、そのまま止まってほしい、この瞬間を永久にとどめたい、という無我夢中の欲望なのである。

それはゲーテが『ファウスト』で言ったように――

とどまれ　瞬間よ　お前はあまりに美しい

という至福の瞬間（注16）なのだ。

このように、人は時に幸福な時間を思いのままに支配し、幸福な状態をいつまでもわがものにしたい欲望にとらわれる。

半面、人は自分の家とか学校、職場などの「居場所」についてしばしば考える。自分は前の会社では不遇で居場所がなかったが、いまのは悪くない。家のほうも、前の家に比べ快適で自然環境にも恵まれている、などと思い巡らす。

人は居場所が重要だからこそ、その具合についてあれこれ考えるのだ。自分の居場所という空間は、むろん快適であるに越したことはない。「気に入った居場所」には誰もが気分をよくし、生産性を高め、心を落ち着かせる。

居場所の持つ戦略的、精神的な重要性をわきまえていた一人が、武田信玄だ。信玄の気に入った居場所は、風呂場だった。おそらく甲斐《かい》の山間《あい》から湧き出た温泉の風呂であろう。信玄はその大きな風呂に浸りながら、乱世の天下取りをじっくりと構想したに違いない。

信玄は〝信玄風呂〟を大部屋の一角につくった。大部屋には、机や書道具が置かれ、賊の来襲用に太刀も備えていたようだ。

信玄はリラクゼーション・ルームの大風呂から頬を赤らめて上ると、囲炉の前にドッカリと胡坐をかき、ゆったりと茶を飲んだことだろう。それから、おもむろに立ち上がって机に向かい、座って心を静める。そして入浴中に思いついた標語を力強く一筆したためたに違いない。「風林火山」と。

信玄にとって風呂が「気に入った居場所」の中心にあった。そこでの、信玄湯のリラクゼーションが、戦略や戦術を思いつくアイデアの源泉でもあったと思われる。

ここで人の自由度や幸福度を左右する概念として「居場所＝空間」が浮上する。自分にとっての居場所はこの上なく安全で快適でなければならない。

気に入った空間であれば、自分はいま、幸福と呼べる状態にあるだろう。胸が悪くなるほど気に入らなければ、まるで刑務所にいるかのようになる。

この空間の幸福度とは、一体何なのだろうか。気に入った居場所・空間の幸福度とは、とどのつまり、当人にとっての自由度にほかならないのではないか。

最上の空間とは、縛られない自由な空間。「自分の仕事に集中できる」とか「自分の思いのままに羽根を伸ばせる」空間だ。言い換えれば、物理的には自分一人だけの空間か、愛する彼女（彼）

とか親しい友人、あるいは可愛いペットと共にいる空間である。（ここなら邪魔されずに自分自身になれる、好きなように、自由になれる）という密かな自由の感覚を楽しめる空間である。

ここで読者は、空間の幸福感は、時間の幸福感と同じ共通項を持つことに気付くだろう。その共通項とは、解放された、自由の感覚だ。自由な時間を持ち、自由な空間に居ることが、人の幸福な状態にほかならない。それを手に入れる気分は、子どもたちがこれから遠足に出かける朝の気分にそっくりだ。解放される「遠足気分」で心は浮き立つ。

われわれが「縛られる」と直感する場面の一つは、時間と空間の制約だ。時間が足りない、苦境にあって圧迫されている、とか、部屋が狭すぎる、不潔な環境だ——というような束縛感だ。

そう考えると、時間と空間を支配し、自分の意に従わせようという野心を、いつしか人が抱くようになっても不思議でない。「時間と空間の支配者になってやろう」と。

時間と空間を「自分のものにしよう」というごく自然な欲望は、次のようなシチュエーションを考えてみると、理解しやすい。仕事が押し寄せ、休日も取れない過剰労働に押しつぶされそうな人の場合。彼らの全てが、いま「仕事から解放されて自由になる自分の時間と場所」を求める。

狭い家で子どもが一人増えた場合は——（狭すぎる。もっと大きい家を借りるか買うか、考えなければ……）。そういう親の全てが、家族がいまよりゆったりくつろげる「自分たちの自由になるゆとりの空間」を求めるだろう。

時間を有効に、自分の仕事や楽しみに使いたい、と思う人は、たとえば東京から九州の旅先に行くのに列車やバスではなく、航空機を利用するだろう。

交通機関による「時間の短縮」は、「距離（空間）の短縮」と実質的に同じになる。時間の自由の追求は、空間の自由の追求と重なり合う。目的地に行くのに、航空機とかクルマの使用で徒歩よりも「時空間の大幅短縮」が可能になる。

航空機で九州に飛んだ人、Aさんを、さらに追ってみよう。大分空港を降りたAさんは、列車を使い、かねてから行きたかった湯布院温泉の宿に到着。ここでまず温泉にゆっくり浸かって日頃の苦労を忘れる。宿の部屋は、快適でくつろげる。晩酌も食事も旨い。

この旅の時間と空間は、Aさんにとって「格別によかった」。Aさんはこの上なく縛られない時間と空間を占有したことになる。これが実現したのも、格別の時間と居場所をAさんが自由に選べたからだ。自由意思によるセルフコントロールが、できたからである。

このように時空間を「自分の自由にしたい」「コントロールしたい」という欲望は、万人に共通する欲望、誰もが持つ普遍的な欲望である。

「時間と空間（距離）の短縮」への欲望は、交通機関の発達を促した。この発達史の延長線上に、「自動運転車」や「空飛ぶクルマ」があり、宇宙旅行がある。健康長寿への願望も、「自分の時間（人生）の拡張」という、この欲望の表れと言ってよい。

この点で、公共交通手段の高速化やネットワーク化は、今後も公的交通政策の重要な柱となる。

他方で、個人が抱く健康長寿願望によく応える食品や医療、薬、健康関連サービス分野の企業活動は盛況を呈する。

経済学の観点からみると、時間と空間のコントロールに関連する産業の未来は開かれている。人々の根源的な欲望がそこに潜むからだ。時間と空間に関する欲望は、文化の高度化に応じてますます人々の意識に上り、高まるようになる。

時空間コントロールへの欲望の充足法は、しかし、交通手段の技術革新にとどまらない。それは仮想体験によっても可能になる。空を鳥のように飛んだり、海をイルカのように跳ね泳いだり、サバンナをピューマのように疾走したり、歴史上の偉人を訪れるのも、バーチャルの映像を追ったり、想像力を働かせて実現可能となる。

現実のデジタル技術革新は、いよいよスピードを増す。われわれのいるリアルな空間をそっくり仮想空間に変える可能性に直前まで近づいて来た。「もう一つの別な世界」が、われわれの目の前に出現しようとしているのだ。

時空間コントロールを追求する、このＶＲづくりイノベーションの状況をみてみよう。

メタバースの新世界

「メタバース」が次世代の仮想現実（VR）として注目されている。米フェイスブック（FB）が二〇二一年一〇月、社名を「メタ・プラットフォームズ」に変更したことで、脚光を浴びた。「meta（超越）」と「universe（宇宙）」を組み合わせた新造語「メタバース」。メタバースをスマートフォンに次ぐ「次世代のITプラットフォーム」とみなすメタのマーク・ザッカーバーグCEOは、その理由に「VRの臨場感」を挙げた。リアルに感じて没入してしまう新世界への期待が一気に高まった。

しかし、メタバースがもたらすバーチャルな至福は、実生活を損なう脅威ともなる。

文明の曙以来、人間にとって生きる世界は夢みる時以外、全てリアルだった。現実の世界で生活するしかなかった。貧困や虐待で、悲しすぎる現実も多かった。だが、人類は間もなく仮想現実の新世界という選択肢を持つようになる。

メタバースの完成イメージによると、その仮想空間に人々は自分の分身キャラクター「アバター」を使って入り込み、好きな人々と話したり、ビジネスを進めたり、学習や観劇、ゲーム、買い物などを楽しめる。異性や別の自分になり替わることも可能だ。

米メタは、メタバース用VR端末「メタクエスト」で使える仮想空間を開発、本格参入してメタバースに年一兆円超を投じると発表した。米ＩＴ大手、マイクロソフトは、拡張現実（ＡＲ）に現実世界との一体感を高めた複合現実（ＭＲ）の端末「ホロレンズ」を開発。会議アプリ「チームズ」で、参加相手の印象や感情をリアルに感じさせるなどの改良を急ぐ。海外とのやりとりで日本語で話しても、ＡＩがリアルタイムで自動通訳し、必要な外国語に変換してくれる。二〇二二年一月、約八兆円で米ゲーム開発会社アクティビジョン・ブリザードの買収を発表し、メタバース開発を加速した。

メタバース先駆者の米エヌビディアは、世界の工場や建築現場を仮想空間で再現する「オムニバース」を提供、売上高・純利益とも一時、過去最高を更新し続けた。反落したあと、二三年春にはチャットＧＰＴ向け半導体への期待感から株価は急騰、株式時価総額でたちまち世界トップ級にのし上がった。ゲーム分野では、マイクロソフトが手掛ける人気ゲーム「マインクラフト」、任天堂の「Nintendo Switch」向けに画像処理半導体（ＧＰＵ）を供給する。いずれもメタバースへの応用を視野に入れる。

アップルも、メタバースに注力する。新規参入計画については黙秘を続けていたが、新規参入計画については黙秘を続けていたが、メタバース世界向けゴーグル型デバイス「Apple Vision Pro」を二三年六月に発売した。中国のＩＴ大手テンセントは、開発したアバターを使ったオンライン接客システム「Live Call」の普及を急ぐ。日本では、ＶＲ・ＡＲ端末で先行するソニーグループに続き、パナソニックの一〇〇％子会社が、ＶＲグラス（ゴーグル）「MeganeX」の軽量

図表7　メタバース　イメージ(Metaverse)

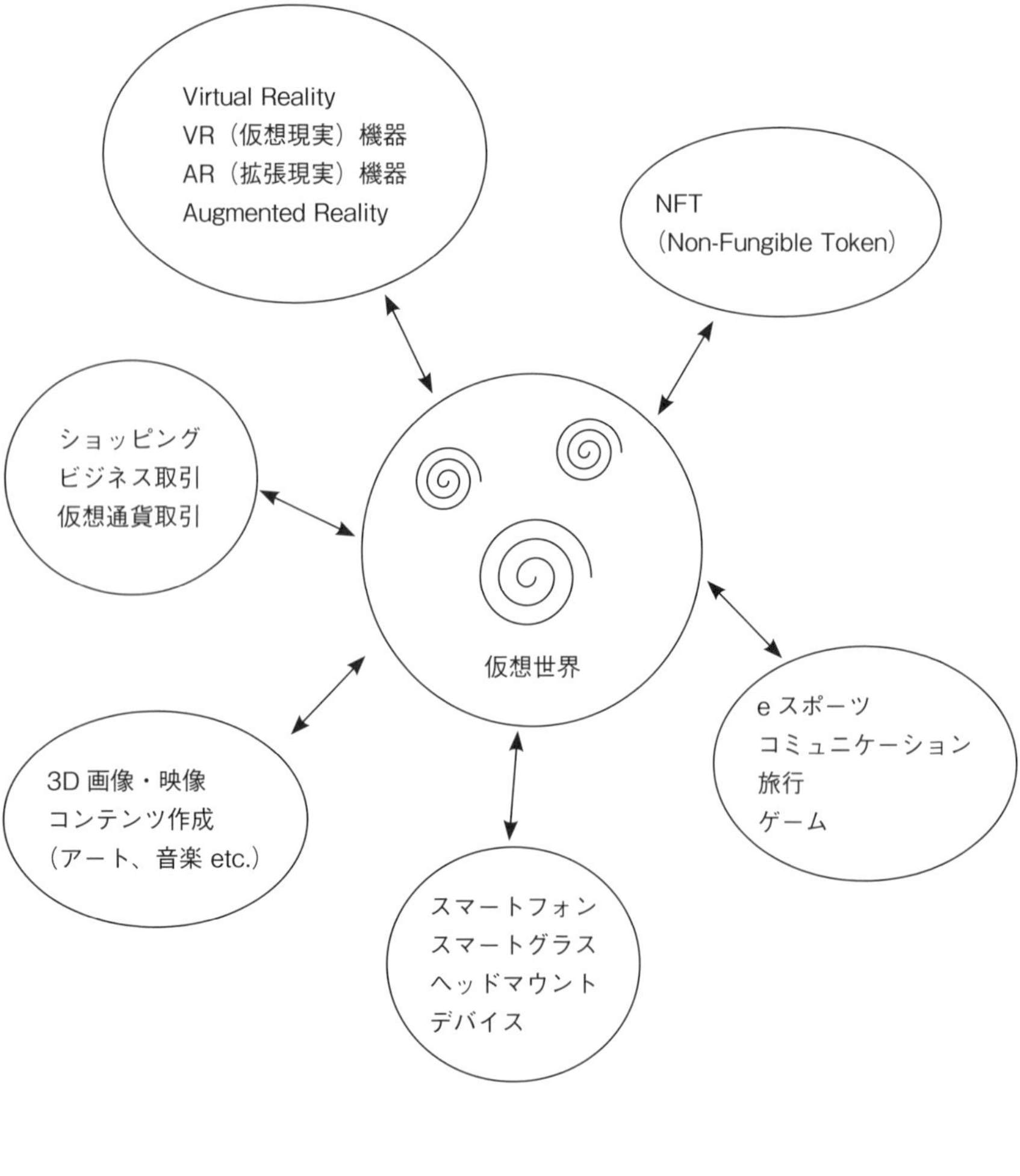

化に成功した、と報じられた。実際、描かれたメタバース完成像は魅惑的だ（図表6）。

このように世界のＩＴ各社がしのぎを削るのも、メタバース事業は超巨大な市場に成長する、とみているからだ。実際、描かれたメタバース像は魅惑的だ（図表7）。

メタバース世界を楽しむには、いまのところヘッドマウント・デバイス（ＨＭＤ）を頭に装着して仮想空間に入り込むことから始まる。ＨＭＤの重さと高コストの低減が、当面の大きな課題だ。

バーチャルショップを訪れてみると――アバターの店員が現れ、にっこり微笑んで「お手伝いしましょうか?」と話しかけてくる。その店員のアバターは、リアルにある店舗のスタッフが操作して接客している。コンピューターグラフィクス（ＣＧ）で再現された商品を薦められ、手に取ってみる。そこへお店で会おうと約束していた友人がやって来る。商品は気に入った。友人も「いいじゃないの」と後押しする。背を押されて購入を決め、買い物を終えた。

メタバースで買い物をすれば、現実世界のように時間をかけて交通機関を使い、そこからショップまで歩いて行く必要はない。気に入った衣服や靴がみつかれば、試着してみることもできる。バーチャルに買い物をして仮想通貨を使って決済し、リアルに現物を購入することも可能だ。

名画や宝石のような高価な買い物も、オリジナリティを証明できるから心配ない。非代替性トークン（ＮＦＴ）を使って、鑑定書のように唯一無二のものだと証明する。ブロックチェーン（分散型台帳）のデジタル技術で、画像や音楽などを作成した年月日や識別番号、所有者履歴などの原物情報を改ざんしたり、コピーできないようにする。このデジタルデータのお陰で、あなたはストラディバリのバイオリンやピカソの名画も、安心して買える。

世界旅行となると、リアルのものよりも素晴らしいツアーが、細かいところまで簡単に楽しめるかもしれない。

メタバースにある世界遺産をアバターで巡ると、その見どころをためつすがめつ眺められる。はじめに憧れのエジプトを訪れ、ピラミッドの内部にも入って王家の墓の跡をじっくりみる。日本語ガイドの案内で、抱いていたピラミッドの謎が次々に解けた。ツアーのお陰で発見を楽しみ、知識を充実させ、盗難や事故に巻き込まれずに済んだ。次は、夢だったエベレストに登頂か、それとも南極大陸横断か——想像は尽きない。

さらにもっと凄いことが体験できる、とメタバース開発者らは胸を膨らます。自分が会いたかった歴史上の人物を他のゲームプラットフォームから呼び出し、会話を交わしたり、その冒険活動や歴史的戦闘に参加することもできる。シーザーとかナポレオン、あるいは武田信玄の戦闘に加わるかもしれない。あなたがお菓子好きならルイ一六世の王妃、マリー・アントワネットと歓談しながら、彼女の作ったケーキをおいしくほおばるかもしれない。

が、メタバースが一番役立ちそうなのは、身体障害者や身の不自由になった高齢者が活用する時だ。アバターの分身を使って仮想世界で存分に活躍できるようになる。「もう一人の自分」が社会参加し、発言し行動する。

複数のアバターへの変身を楽しむことも可能だ。自分がいくつもに分身して、異性の美少年や美少女に成り代わることもできる。

ＮＦＴの歴史的衝撃

メタバースはなぜ「次世代の仮想現実（ＶＲ）」と期待が膨らむのか。理由の一つは、ＮＦＴ（非代替性トークン）の存在である。

これが二〇〇三年に始まった前回のブームにはなかった特徴だ。〇三年六月に米リンデン・ラボが運営を始めた「セカンドライフ」。メタバースの先駆けとされ「早すぎたメタバース」とも言われる。「セカンドライフ」内の土地を売って、米国で一億円以上稼ぐ人も現れた。日本でも関心を呼び、個人だけでなく電通や三越、日産自動車、マツダなど大手企業も、仮想店舗の設置やマーケティング活動に参加した。

だが、利用者数が約一〇〇万人に達した〇七年をピークに下火となり、企業の多くも撤退した。衰退した要因の一つが、経済取引を拡大するＮＦＴの不在だ。ＮＦＴとは「Non-Fungible Token」の略。ブロックチェーンのデジタル技術を用いた、アートや音楽、ゲーム、動画などの原作が唯一真正であることを証明するデジタルデータのことだ。

作成者、作成時期、識別番号、保管場所、所有権履歴などのオリジナル情報が印されて実質、鑑定書となり偽造やコピーが不可能となる。ブロックチェーン上で「一点もの（コンテンツ）」をトークンで表現する。

ＮＦＴの存在価値が急浮上したのは、二〇二一年三月のこと。ネット上で「ビープル」として知られるアーティスト、マイク・ウィンケルマンの「Everydays — The First 5000 Days」と題されたコラージュが、オークションで六九〇〇万ドル余（当時、約七五億円）の高値を付け、落札される。オークションハウス「クリスティーズ」で異例のＮＦＴデジタル作品で、暗号資産（仮想通貨）の新たな市場の到来と、ＮＦＴアートの高評価を印象付けた。

英競売大手、クリスティーズのオークション記録によれば、ビープルはこの落札で世界で最も価値がある存命アーティストトップ3に入ったという。このデジタルアートが示したように、ＮＦＴは「Open Sea」などのマーケットプレイス（取引サイト）やオークションに出品すると、買いたい人たちと取引できる。

非デジタルの現実の市場では、絵が本物であると証明するには鑑定人が必要だが、ＮＦＴならブロックチェーンが真がんを証明する。ブロックチェーンから発行されるＮＦＴはコピーできないため、その絵は唯一無二の本物とみなされる。

このようにブロックチェーン技術と結び付いているところに、ＮＦＴの画期的な存在意義がある。

ＮＦＴとブロックチェーンを用いて販売実績を伸ばすデジタルゲーム「The Sandbox」のケースをみてみよう。運営するＳＡＮＤは、ＮＦＴ関連銘柄として二一年はじめからほとんど値動きをしなかった価格が、二一年一一月に一〇倍以上に急騰した。

サンドボックスは、プレイヤーが自由に目的を決めて遊んでいくスタイルのブロックチェーンゲーム。特徴は、ゲーム内にデジタルな土地を持ち、そこで新たなゲームを作ることができる、ゲーム内やマーケットプレイスでゲーム内の通貨である仮想通貨「SAND」を稼ぐことができる――など、みるからに異次元のゲームである。

若い女性のイラストも、二一年にＮＦＴ作品に登場した。イラストレーターの「onigiriman」が二〇〇点以上を出品販売する「onigiriman's cute girl Collection」。一イラスト当たり数十万円の値を付け、取引総額は二二年一月までに八〇〇〇万円をゆうに超えた。

経済学的にみれば、ＮＦＴは経済価値の定義を変え、ビジネスチャンスを拡大する。アートや音楽、画像、動画、映像、ゲーム、土地などのオークション取引が拡大し、その価値評価が高まる。それは絵や作曲、演奏の音楽領域をはじめ全ての文化活動分野を超えて、プロスポーツの試合の映像などスポーツ分野や、ファッション、不動産分野にも及ぶ。

個人も企業も、ＮＦＴを使った価値ある高額の買い物やユニークな芸術作品の取引を容易に行えるようになる。ブロックチェーン上で第三者への転売や貸し出しも可能だ。人気のプロ野球やサッカーゲームの観戦や選手の名場面の画像などを売るビジネス計画も持ち上がる。現にプロ野球パシフィックリーグ関係者の間で検討が進む。

二〇二一年一一月、米暗号資産交換所（取引所）大手のFTX（二〇二二年一一月経営破綻）は、米大リーグ・エンゼルスの大谷翔平選手と「グローバル・アンバサダー」の長期契約を結んだ。アンバサダーにはこれまで、米スポーツ界のスーパースターが務めてきたが、大谷がこれに名を連らねた。米CNNは、FTXが大谷を「世界的アイコン」と評価していると報じた。アンバサダー料は暗号資産で支払われる。暗号資産取引所の看板になるわけだ。

NFTの普及がもたらす経済的影響は計り知れない。商品価値は二極に分かれるようにもなる。一般の生活向け汎用品と、NFTのデジタル情報が証明する付加価値品とである。付加価値品は、希少なモノから独自性の濃い商品まで様々だが、いずれも固有の文化的、個性的価値を認められるわけだ。取引拡大につれ文化的財産、知的財産の価値認識がさらに深まり、共有されるようになる。

この経済価値観の一大変化で、埋もれたり抑えられていた個人の才能や技能がいっぺんに認められ、開花するチャンスが到来する。NFTは人間の創造性を刺激し成功に導く、まことに有難いデジタルシステムとなる。

NFTは数ある暗号資産の一つだ。この暗号資産が、思いがけず二〇二二年二月二四日に始まったロシアによるウクライナ侵攻でその活用に突然、火が付いた。

ウクライナ中央銀行は、世界中から暗号資産のビットコイン、イーサリアム、テザーなどの寄付を受け付けた。ロシアの侵攻が始まった直後からウクライナを支援する暗号資産の寄付が世界各国・地域から殺到した。三月半ばまでに暗号資産を含むSNSでの寄付総額は、約一億六〇〇万ドル（当時約一二五億円）に達したとも推計される（注17）。

暗号資産で一億ドル超に上る寄付金を集めた事実は、従来の寄付の構造を一変した。法人や団体などの組織だけではなく、個人の多くがバラバラに加わる分散型のウェブ・ネットワークからも寄付が集まったのだ。

それも即座に、である。暗号資産の普及をさらに加速させることになる象徴的な出来事と言える。法定通貨の代わりとして暗号資産の利用がいよいよ本格化してきた、と受け止められた。

暗号資産はその後、国際的な金融不安に伴い価格が急落、交換業者の破綻が続く。もともと国家や中央銀行によって発行された法定通貨でないため、その価値が保証されていないから価格は大きく変動しやすい。決済・取引手段として利便性を増す中、日銀も含め中央銀行自らが法定通貨として発行する構想があり、リスク軽減を目指して活用拡大の方向だ。

時空間支配の欲望を満たそうと、メタバース訪問者が急増していくことは疑いない。だが、メタバースへの没入はいい事ずくめなのか。そこにあるリスクも指摘しておこう。

時空間支配欲には相応のリスクがある。時空間コントロールで幸福を得るには、リスクを知ってこれを排除する最小限の規制が必要だ。

仮想空間に心を奪われる最大のリスクは、バーチャルをリアルと取り違えるところにある。自分はリアル以上の超リアルの世界で楽しんでいるとすっかり夢中になる。一種の麻薬中毒の状態に陥ってしまう危険だ。

メタバース開発を手がける「クラスター」を二〇一五年に起業した加藤直人CEOは「（アップロードされた創造物の中には）カフェを作って飲み会を開催したり、競馬場を作ってゲームに興じたり。一日十時間以上滞在し、ここにまるで住み込んでいるような人々もいる」と語る（日本経済新聞二〇二二年三月一六日付）。

「一日十時間以上の滞在」とは、尋常でない。

現実の日常生活との完全な入れ替えである。仮想の空間に住む時間のほうが、実生活で家に住む時間よりも遥かに長い。

ということは、メタバース世界が日常活動の中心になってしまうことにほかならない。メタバース生活が「主」、実生活は「従」と、ひっくり返るわけだ。実生活に時間を割かないから、そこから仕事の苦労とか実りといった経験が得られにくい。貧困な実生活になってしまうのだ。

メタバースの長時間訪問者の多くは、さかさまな生活になりかねない。さかさまになるのは、快楽度が強烈なせいだ。バーチャルなメタバース世界の快楽度は現実世界に比べ、溺れてしまうほど魅惑的かもしれない。

では、なぜバーチャルな快楽をリアルと取り違えてしまうのか。

答えは、脳の錯覚によってである。自分のアバターがメタバース世界に入り体験すること全てをリアルと錯覚してしまうのだ。

この脳の錯覚でVRワールドに夢中になってしまう。それはあまりに「素晴らしい新世界」である。リアルの世界はつい置きざりにされ、忘れられてゆく。いやむしろ、きれいに忘れてしまいたい旧世界となる。結果、現実世界との接触は薄れていき、連続性が失われて生活が乱れる危険性が増す。

最も懸念されるのは、前述した「一日十時間以上」のように仮想空間に入り浸って現実生活が空っぽになることだ。幻《まぼろし》が現《うつつ》となってしまうことだ。脳の錯覚のせいでバーチャル生活がリアル生活に取って代わってしまい、リアル生活が疎かになって多くの実際の支えを失ってしまいかねない。

この危険を避けるには、メタバースの利用に際し何らかの時間制限や注意シグナルなどの制度設計が、必要になるかもしれない。このことは、リアル生活の崩壊が危ぶまれるほど、メタバースが魅力に満ちた世界であることの裏返しだ。デジタル技術革命は、この新世界をいよいよ提供できる目前まで到達したのである。

仮想空間の拡張

インターネットを介した仮想世界は、没入型の「メタバース」で一つの頂点に到達するだろう。そこは現実的物理的な世界と連続していて、現実世界の一部を知ると共に、現実世界を超える体験も可能となる。

ピラミッド見物が、その一例だ。その世界（空間）はさまざまな部分から成るが、その中から興味深いところを選んで詳しくみることもできる。そこにはピラミッド・ツアーのようにおそらく大勢の他者も参加し、感動しながら世界を共有するだろう。さらに、必要なら現地のマーケットでビジネス取引のような社会活動もできる。

この仮想世界は、世界を拡大し豊かさを増すことにつながる。「メタバース」という仮想空間は、現実世界の豊かさを多種多彩に導入でき、経験を広げ、さまざまな他者と共感し合うことが可能だからだ。

それは、これまでよりも一層開かれ拡大した生活であり、世界である。仮想世界で見聞を気ままに増やし、新たな出会いを得たり、友人らと懇談し、会食する。素適な家を買い、ショッピングをし、旅行やコンサート、オペラ、観劇、美術を存分に楽しめる。望外の喜びではないか。

しかし、この新たな豊かさは見えざる代償を伴う。

まず、仮想世界の作り手の支配的影響受けないわけにはいかない。作り手の企業は、対象の消費者を何とかして操ろうとあれこれ策略する。

ＧＡＦＡＭをはじめＩＴ大手はこれまで、広告収入を増やすために個人情報を利用する情報操作を密かに繰り広げてきた。ＥＵが二〇二三年三月に独禁法違反容疑で調査を公表したメタとグーグルの広告独り占め工作がその典型だ。

広告業者の多くは長らくメタのターゲット広告を頼りにしてきた。が、アップルのティム・クックＣＥＯが二一年六月、プライバシー対策としてｉＰｈｏｎｅ上のアプリによるユーザー追跡の制限を発表すると、広告業者らは状況変化を察知して広告予算をＴｉｋＴｏｋなど他のプラットフォームに振り向けている。

一方、仮想世界の〝住人〟にとって、仮想世界の作り手はなくてはならない、作り手はまるで神様のような創造者である。仮想世界のない生活など考えられない。

作り手の企業側は、その支配的地位を利用して操れる立場にある。操られる側は、しかし、仮想世界のありがたさ・日常の利便性のほうに目がくらんで操られているという自覚はない。

ソーシャルメディアで問題化したＩＴ大手による個人情報の漏洩・利用が、メタバースの世界で一層悪化する可能性が高まる。仮想世界へのユーザーの没入が、企業支配を見逃したり、容認してしまう恐れが強いからだ。関心外のことだろうからである。しかも支配側の企業が政府系だったり、国営あるいは国の意向に従順な場合、個人情報利用の影響は深刻だ。メタバースでの言動が、そっくり政府に筒抜けになったり、監視される可能性が高まる。

ここで問題が浮かび上がる。そもそも仮想世界にこそ、現実世界にはない想像の自由と多様性があるべきではないのか。究極の仮想世界とも言えるメタバース・ワールドを企業が支配していいのか――。原点に再び立ち返ってみよう。

自分が訪れたい、住みたい仮想世界の裏側で企業がわれわれを監視し、操るようなことがあっていいのか。むろん「いいはずない」。自分の居場所となる仮想世界が、自由で干渉されず、多彩多様でなければならないのは自明だ。

そのことは当然、仮想世界が企業や背後の勢力の操作によってではなく、住みたい者が自然と集まり、民主的なシステムで運営される必要があることを意味する。われわれの選ぶ仮想世界はそのようでなければならない、という反論は当然であろう。

仮想世界を居場所とする若者らにとって、そこは自由に羽ばたける究極の世界でなければならない。規制とか権威などクソ食らえ、となる。最近、若者が使うフレーズ「リア充」は、逆説的にこの感覚を表わしている。「リア充」、つまり仮想現実こそリアルに充実できる、という意味だ。

メタバースの罠

来るべきメタバースのもう一つのメジャーな問題がある。

それは、没入の繰り返しから起こる「耽溺《たんでき》（Addiction）」だ。耽溺は、酩酊状態を生み、酩酊は錯覚や幻覚、錯乱をもたらし、精神のコントロールを失わせる。

メタバースへの没入は、二重の意味で人間の脳に〝錯覚〟をつくりだす。没入が習慣的に耽溺状態になることで、脳が一時の錯覚を超えて錯覚世界にすっかり親しみ、安住するようになる。

耽溺の理由は、脳がメタバースの仮想世界を錯覚してリアルと取り違えるからだが、メタバースはそもそも脳に錯覚を起こすように仕組まれている。人の脳を刺激して錯覚を起こし、別の娯楽や世界をリアルに案内し、別の生活様式を提案する。脳はリアルな素晴らしい新世界と思い込んで夢中になり、耽溺してしまう危険性を増す。

自分の分身（アバター）の両目が、脳に送り込まれる無数の信号が伝える情報をみて、物事を判断したり、とっさの危険を避けたりする。両耳からの信号も加わって、これらの判断を助け、行動を促す。その全てが錯覚の産物とは、本人には思いも寄らない。

だが、実体は、メタバース自体が脳の錯覚が生み出したバーチャルな世界なのである。リアルでない仮想の世界なのである。メタバースへの没入が習慣化して耽溺状態になれば、錯覚した世界が本人を取り囲み、頭を占領してしまうようになる。

新世界を訪れるたびに、リアルなワクワク体験が味わえると本人は思うだろう。だが、それはそもそも虚構のワールドなのだ。そこを訪れる習慣性が、リアルと取り違える錯覚を定着させてしまうのである。

二つめの耽溺リスクは、没頭してしまう対象自体が特別の快楽をもたらすことだ。それは麻薬への耽溺に似ている。メタバースにある訪問世界の魔力に取りつかれて自分を見失い、かつての自分ではなくなる。そして錯覚空間でついに見出したバーチャルな対象を「最高」と錯覚してしまい無我夢中になる。いつしか、欠かすことのできない至上の快楽となってしまうのだ。

そうしてみると、このような快楽の錯覚は幻覚と同義となり、幻覚に酔っているとも解釈できる。

幻覚は、健常者と精神疾患のいずれにも認められる。が、幻覚が度を超せば、当然、いわゆる「健常者」のカテゴリーから外れるだろう。

いわばメタバース世界を訪れ、錯覚、幻覚の世界と対象物に二重に深くはまってしまい、抜け出せなくなるリスクが潜んでいるのである。これを実生活から人を引き離す「メタバースの罠」と呼んでいい。メタバースの罠は、その耽溺者から実生活をそっくり引き離してしまう。「現実との接触」を奪ってしまうのだ。

メタバースへの耽溺によって生じる実生活からの〝引き離し〟は、メタバース世界への関わりの時間が増えることで決定的になりうる。〝リア充〟のあまり、メタバース世界に入り浸り、実生活になかなか戻らない。仮想の新世界に時間の大部分を割き、ついに「帰らざる人」となりかねない。

それは麻薬常用者に似ている。彼らは止めると禁断症状に襲われ、辛くなって再び麻薬に手を出す。メタバースの常用者では、場面はこうなる。現実世界に戻ってみると、圧迫感が辛く、耐えられない。生活の舞台と自分の時間は、もはや現実世界にはなく、あちら（メタバース世界）のほうにある。一刻も早く自由なメタバース・ワールドに帰りたい――と。

もう一つ現われてくる問題は、デジタル犯罪対策だ。これには現実社会に生起する詐欺や窃盗、脱税、殺傷など多くの犯罪が含まれる。メタバースが現実社会の一部――たとえばショッピングとつながり、他者と交流する点で、犯罪やその類似行為に現実社会と同様巻き込まれると考えられる。他者のアバターが、善意の人とは限らない。メタバースを訪れる自由至上主義者にとって、「好ましくない現実」が浮上する。メタバースでも現実社会と同じく法制、税制を考えだし、適用していく必要が生じる。

商業活動を例にとってみよう。高価な貴金属を買って代金を仮想通貨で支払ったとする。この取引に何がしかの税が課されることになるのは必至だ。同様に不動産や自動車の売買に際しても、当局の規制が入る。現行税制を参考に〝メタバース税制〟が適用されるのは間違いない。現実とつながる経済分野には、いずれ規制が現れる。

ここで、メタバースの最良・最悪の双方のシナリオが浮かび上がる。

最良のシナリオとは、技術的には「拡張現実（AR）」を使って実在する現実世界をベースに仮想世界を取り入れ、生の感動的現実感覚を参加者に引き起こすこと。たとえば二〇一六年に世界的にヒットしたスマホ用ゲーム「ポケモンGO」が、それだ。

スマホ画面に登場したポケモンが、自分の目の前の風景に現れる。ARがGPSによる位置情報で映した現実世界に、ネット上の視覚情報を重複表示させ、リアリティを演出する。結果、ポケモンがあたかも現実世界に出現したかのように感じる。「ホントか」と思わず引き込まれる。

「ポケモンGO」のように、現実と結び付いた仮想世界が最良シナリオだ。奈良の法隆寺に行ってみたい、としよう。ARで法隆寺の実際の映像を映し出し、これに自分のアバターが現場を歩きデジタル情報で案内されるというふうな設定だと、現実とつながった生々しい体験ができる。

この「現実とのつながり」がポイントだ。これによって、現実との接触が保たれる。そこで現実との生きた接触場面をどう実現し、生々しい現実感で伝えるか、が重要となる。仮想世界は現実世界とどこかでつながっているべき、と考えられるからである。

最良のシナリオとは、この現実接触を基本に、仮想世界を個人が自由に楽しむ世界であることだ。裏で企業や政府が個人の楽しみを操るような他者支配の環境であってはならない。

この逆が、最悪シナリオだ。現実から切り離された、完全な仮想の世界である。ゲームで言えば、火星や木星で地球人の探検隊が宇宙から飛来した怪獣と戦う、というようなシナリオが想像できる。このゲームに没入して繰り返し参戦しているうちに、面白すぎていつしか耽溺する。連日出動を繰り返すうちに現実から引き離され、ついに日常生活に戻れなくなる可能性が生じる。

加えて、仮想世界の背後に企業や政府のシナリオライターが隠れて、シナリオを操作しているなら、文字通り最悪のシナリオとなりうる。その場合、シナリオを支配している企業とは市場支配力を持つＩＴ超大手が連想される。利用者の個人情報を寡占的に握り、それを広告などに利用する巨大企業だ。

陰の操作者が政府の場合は、個人情報支配は一段と深刻になる。政府が表に出ずに隠れてシナリオ操作しているケースが予想される。だが、内実は政府系の機関や政府の息のかかった天下り先の民間企業が関与している。こうした政府による実質支配でメタバース利用者の個人意思が操作される可能性が生じる。

最悪シナリオでは、企業、政府によるメタバース世界の実質支配がベースとなる。利用者はそうとは思わずに操られ、主体性が奪われる仕儀となる。

メタバースへの耽溺から来る脳の錯覚について、さらに深掘りしてみよう。まず耽溺自体が一種の酩酊であり、自己陶酔であることを再認識しておこう。

そのことは、特定の関心事に心を奪われた状態であることを意味する。「これこそ世界の全て」と思い込むような一種の忘我の状態と言ってよい。

つまり、心理的には動的均衡を失っている状況だ。

この心の不均衡性が持続するとどうなるか。答えは、酩酊の異常心理状態が続く、ということになる。事実上、ドラッグやアルコール中毒の状態と同じ、と言えるだろう。

ここで、耽溺はどのようにして起こるのか、を改めてみてみよう。その基本要因としてメタバースの仮想世界をリアルと感じさせる三次元の「臨場感」（ザッカーバーグ・メタCEO）が、挙げられる。デジタル技術の進化があったからこそ、人を没入させる臨場感が生み出された。それゆえメタバースがもたらす臨場感のせいで、耽溺と心的不均衡を利用者に引き起こすのは必至となる。

したがって耽溺と心的不均衡も、進化したデジタル技術の必然的な所産である。

デジタル技術が行き着いたメタバースは、人間精神を解放する一方、破壊もする。常時没入による「現実との接触喪失」が破壊の真因だ。そこから生じる「負の遺産」の相続人を極力減らす課題が浮上する。

想像力が生む新世界

イノベーションがわれわれの新世界をもたらすとすれば、それを可能にするのはこれまでにそうであったように想像力の働きだ。自分が行ってみたいとか成功物語の映像が目に浮かぶほどのリアルな想像力である。この「想像力の開発」が、次世代人間開発の最大テーマとなる。

人は訓練して想像力を磨けば、随意操作で行きたい場所に行ったり、好きな動物になり代わったり、憧れの歴史上の人物に会うことも可能だ。この随意操作による超活性化された想像力の働きで、みじめな現実から脱け出し、自分の居場所を見出せるはずだ。

すでに、想像力に訴えて圧倒的な臨場感を持つ３Ｄシネマや動画が登場している。これが休眠していた想像力を呼び醒まし、向こう側にある仮想空間に引き入れる梯子《はしご》にもなりうる。チャットＧＰＴの登場で対話型生成ＡＩからアイデアを得て、想像力を一層刺激することも可能になった。

時空間のコントロールを考察する時、その対象に「内なる世界」のコントロールが視野に入ってくる。われわれの内的時間は、記憶や欲望によってそれぞれに異なる。内的空間もまた同様だ。最高に充実した――われわれが美《うつく》しいと呼ぶ――瞬間は、記憶されてとどまり、愛する空間も記憶によって目の前にとどまる。記憶は過去の遺産を保存し続ける。過去の時間とは、記憶である。

一方、世界の誰もが時計をみて知る物理的時間は、厳然と存在する。物理的時間はすでに実証されている。時間のスピードは、重力や運動速度によって変わる。たとえば、高地に住む人のほうが低地に住む人よりも時間の流れが速い。動き回る人のほうが、じっとしている人より時間の流れがのろい。このことが確認されている。

他方、主観的な内的時間はいわば体験時間である。人によって濃淡の差が大きい。体験が充実していると、時間はサッと過ぎ、ひまだとゆっくり過ぎるのは誰もが経験済みだ。

内なる時空間は、伸縮自在で、去ったりとどまったりと流動的なのである。その時間は意識の流れによって速くもなり、のろくもなる。時には乗り物のように速く、時にはひと所にとどまって滞る。楽しい時間は、しっかり捉えようと思っても、足早に逃げ去る。苦痛のほうは重くのしかかって、なかなか立ち去ろうとしない。

内的時間は自らの体験感覚をもとにした主観的時間だから、時間感覚は当然、折折に変わる。この主観的時間は、外の客観的時間とは別の「自分の内なる体験時間」と言い換えてよい。ゆえに内的時間である主観的時間には独特の色合いがある。まず濃い時間と薄い時間とがある。濃い時間とは、印象に強く残る時間である。明るい時間と暗い時間にも分類できる。

明るい太陽の下。ハワイ島の砂浜で寝そべったり泳いだりした、眩しい思い出。他方、仕事でトンネルに迷い込んで脱け出せなかった辛い思い出。その印象は光り輝いていたり、薄闇だったりする。

濃い時間と淡い時間もある。日常の多くの時間が淡い時間に相当する。刻々と淡々と過ぎ行く時と言ってよい。印象の限りなく淡い時間だ。何がその時間に起こったのか、後に日記をみても思い出さない。

時間の明度と濃度、過ぎ去った時間の明滅、記憶の不滅と忘却……

この時間の感覚は、自己意識の進化に沿って発展していく、と考えられる（図表8）。

図表8　意識の進化

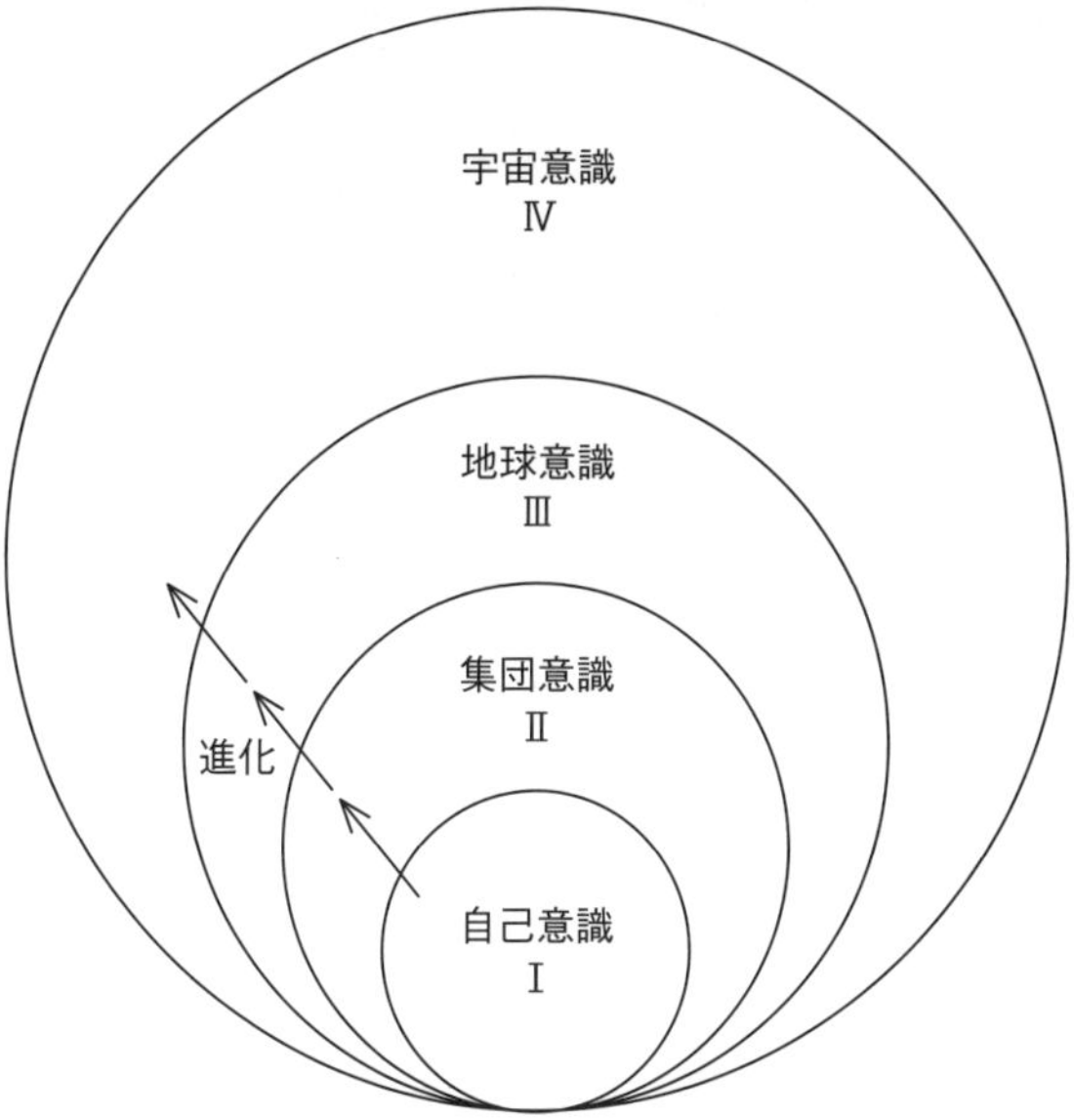

意識の類型　　大まかな主張の分類

Ⅳ・・・・・・・宇宙主義 → 我々（We in the universe）
　　　　　　　生命神秘主義
Ⅲ・・・・・・・世界主義 → 世界の中の我々（We in the world）
　　　　　　　地球環境主義
Ⅱ・・・・・・・民族主義　部族主義 → 我々（We）
　　　　　　　国家主義
Ⅰ・・・・・・・自分中心主義　個人主義 → 私（I）

（ケン・ウィルバーのインテグラル理論に基づき作成）

内なる時間は、過去においては明るい記憶の映像を、未来においては希望のイメージを保存したがる。忘却が過去のトラウマを可能な限り消そうとする。一方、あの日の宝物の記憶は折々に引き出そうとする。

内なる時間は、自分の自分による自分のための時間だ。都合や好みで伸縮、消去、付け足しが行われる。想像力と忘却が、それをやってのける。記憶や原像の加工作業を担うのだ。そしてその時間の横に、舞台となった空間が広がる。

内なる空間もまた、時間と同様の特性を持つ。都合や好みで伸縮され、消去され、加工される。内なる時空間は、このように変幻自在にみえる。想像力が働いて広げたり、美しく彩ったり、形を整えたりするのだ。

このことは、生きる時間を大幅に、多彩に、充実させて拡張できることを意味する。これは想像力を使った自己体験の拡張であり、生の豊かな延長にほかならない。この想像力操作で「人生一〇〇年」どころか実質的にその二倍、三倍生きることさえも可能となる。

内なる空間も、内なる時間と同様に自己解放に向けて動く。飢えた魂は樹木が天に向かって伸びるように、光を求めて天に向かう。心のスペースの拡張は、外なる空間の拡張と歩調を合わせるように進むだろう。

外的空間の拡張では、月への旅が視界に入ってきた。月旅行は、もはや夢物語ではなくなった。月の次は火星か。まずは月への旅が、われわれの空間をも飛躍的に広げる。

米ヴァージンギャラクティック社は二〇一九年二月に「スペースシップ2」の飛行テストを行った。二名のパイロットに加え乗客一名を搭乗させ、前年一二月のテスト飛行記録を全て塗り替える成功を収めた。テスト乗客の女性、ベス・モーゼスは新体験の感動を米メディアにこう語った。「宇宙からの地球の眺めは想像を超える美しさだった」(注18)。

この宇宙旅行を、われわれは自らの内的世界に導入し、想像力を駆使して実演し、検証してみる。(広大無辺の宇宙こそが自分の気に入った居場所)と念じつつ。気に入った内なる空間の開かれた宇宙を、自分が解き放たれたように天空を駆け巡るか、雲のように浮遊してみる。

想像力の翼に乗ってメタバースなどを用いていろんな旅行を重ねるうちに、内なる空間はリアルな地上の空間とはいくつかの点で決定的に異なることが判明するだろう。それは、お気に入りの四輪駆動車(4WD)で行きたかった名所を旅するとか、いつか行ってみたかった花々が咲く高原をハイキングしたり、などと日常性を超えた舞台として目の前に現れる。

病に伏した芭蕉は、辞世の句でこの自己解放する内なる空間を描いた。

旅に病《やん》で　夢は枯野を　かけ廻《めぐ》る

想像力を用いて思い出の地を再訪したり、ぐるりと巡ったりする記憶の旅。この旅で、最後にもう一度、感動を呼び起こそうと芭蕉の内なる時間と空間が動きだす。芭蕉は死の床で目を閉じ、お気に入りの場所に飛んで駆け巡ったのである。

旅を住みかとする芭蕉ならではの、死を前にした夢心である。

芭蕉は自ら認めるように終生「旅人」であった。旅人としてときめく心で見知らぬ土地を旅し、移り行く季節の世界をみた。

旅人と　我名《わがな》よばれん　初しぐれ

芭蕉にとって内なる空間の一部は、未知なる旅の領域だ。そこを訪れる冒険の楽しみは、何物にも代えがたい。心が弾んでたまらなくなり、旅先へすっ飛んでいく。

宇宙旅行は、世界の旅人たちの究極の旅、未知との遭遇かもしれない。

宇宙から青い地球を眺める。月の地にふんわりと降り立ってみる。ここで「これは自分には小さな一歩だが、人類にとっては巨大な一歩だ」と、先人の言葉をそっとつぶやいてみる。

火星《マーズ》はどうか。おそらく防寒服に身を固めなければ始まらない。火星には季節があるが、その下で暮らす火星人はいるのか。過去に生命活動の証拠を示す岩石をみつけたという研究者がいたが、果たして火星で生命を発見できるか。

自分はいま、初の有人飛行士として岩だらけの赤い星にいる。ここから夜空に映える地球は、輝いた星の一つでしかない。あなたは、この惑星にあって、（ここは地球から離れて、何ものにも邪魔されずに自由だ。絶対的孤独の自由だ）という痛快の感覚に圧倒されるだろう。

さて、あなたのお気に入りの居場所は、いまや宇宙に浮かぶ星にまで拡大した。「お気に入りの居場所は？」と自問してみると、日本に七カ所、海外に八カ所、月と火星に各二カ所、などと数えて誇らしい気分になる。

内なる空間の追求は、自分のお気に入りの居場所をとうとう地球外にまで増やした……。

内なる時空の拡張が実現するものは、こうして気に入った時間と空間を楽しむ究極の旅だ。それは、魂が得ることのできる、束縛だらけの地上、地につながれた生活から解放される最高の自由だろう。

この自由の翼が、想像力だ。突然「魂の火」に焚き付けられ、想像力は心の巣から舞い上がる。それはミネルヴァのフクロウのように、知恵を持った想像力だ。

想像力が時間と空間の境をなんなく飛び越える。歴史家のアーノルド・トインビーが、この〝瞬間移動〟を証言する。トインビーは、二〇世紀の英国から紀元前八〇年の古代ローマに一瞬のうちに身を移し、興味を惹かれたその事件を目撃した。

その事件とは、ローマから追放処分を受けた反ローマの都市同盟の指導者ムティルスが、顔を隠して密かに故郷に戻り、妻の家の裏に忍び込むことに成功する。だが、妻は無情にも夫が家に入ることを拒絶する。彼の首に賞金がかかっていることを責めたのだ。彼はそれに対する答えとして、わが胸に刃を突き立て、妻の家の戸を血潮で染めたのだった。

若きトインビーは、在学中のオックスフォード大学で古代ローマ当時の歴史書を読んだ時、突然この現場に引き込まれた。トインビーが見ている前で、ムティルスの低い呼び声に答えて妻が窓のところに現れ、短い会話を交わす。一瞬のうちに刃がさやを走り、身体がどっと地に倒れ、血潮が飛び散る。

歴史書の生き生きとした一節を読んだ途端に、想像力が学生トインビーをおよそ二〇〇〇年前のムティルスの自刃現場に連れ去ったのだ（注19）。

想像力は、時空間を飛び回る魂の翼だから、自分の意識を超えた世界にも自在に飛翔する。それはしばしば意識の世界を去り、日没の残光が照らす上空をしばらく円く舞う。そして、遠い山の向こうへ、無意識の領域へ飛び立っていく。

飛翔した先は、長年憧れてやまなかった「自由の王国」かもしれない。密かにその存在を信じていた、絶対の自由の聖域だろうか。ここに、降り立ってためしに住んでみることにしよう――。

想像力の自由の翼は、そう意を決すると羽を休め、胸を躍らせて未知の地に着地する。

このように、想像力に身を委ね、永遠の旅人となって世界中を気の向くままに旅して愛《め》でる。

図表9　創作・発見のプロセス

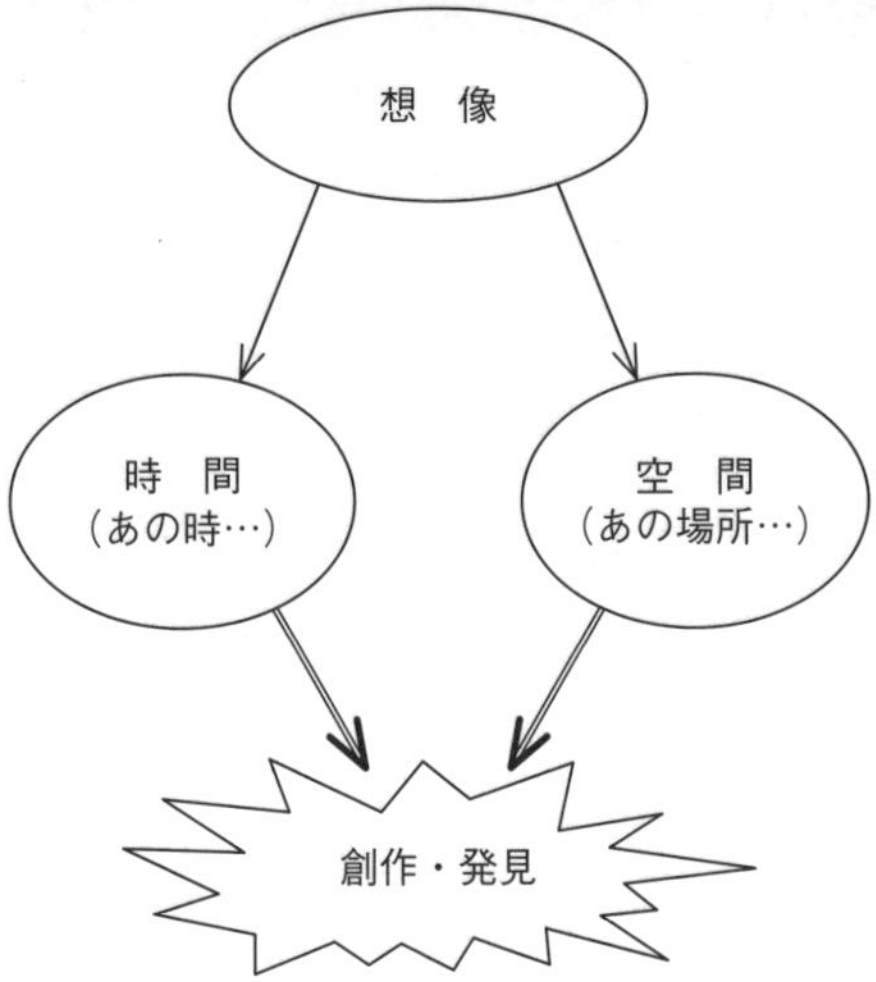

タイムスリップを随意操作

この超時空体験が、偶発的に、気まぐれにではなく、あなたの望み通りに随意操作によってできたら、どんなに素晴らしいことか。

「タイムスリップ」をもたらす諸々の工夫を意識的に繰り出せればだ。特定の「時間」と「空間」を手掛かりに、想像力を働かせる方法が創作・発見につながる道と考えられる（図表9）。その随意操作のユニークな方法を、数少ない体験談から究明する価値がある。随意操作の体得者は各自、自分にフィットした方法を見つけ、自分流に工夫して実現するからだ。

われわれは時空間体験の拡張を、自分の究極の願望と認識した時、その達成の一歩手前まで到達した。あとは想像力をキーに使って未知の新たな

「自由の王国」に入るという段取りとなる。

重要なのは、「内なる時空間」を拡張するための独自手法の獲得だ。これなら王国行きのチケットも要らない。入口の行列に並ぶ必要もない。その自分なりの手法を自家薬籠中のモノにしてしまえば、あなたはいつでも意のままに「自由の王国」へ飛翔して行けるわけだ。

どんなにみじめな境遇に置かれようと、「自由の王国」はいま、あなたのために開かれている。そこに飛んで行ける想像力の翼は、もう用意されている。そう思うだけで、あなたはワクワクして、ふさぎから身を起こすだろう。

想像力が、いまやあなたを好きなところにどこにでも運ぶ〝魔法の翼〟だ。それはいつでも窮地からあなたを救い、お気に入りの場所に連れて行ってくれる。

研ぎ澄まされる意識に加わる想像力。たとえば意識して対象をじっくり観察し、想像力を働かせる。そうするうちに重要な〝発見〟をするようになる。観察と想像力から新しい知見が得られ、対応のブレイクスルーが起こる。

この発見で敵を知り、戦いに勝利したユリウス・カエサルは『ガリア戦記』で、発見の成果を記した。

「ゲルマニー人が訓練していた戦法というのは、次の通り。まず、騎兵の数が六千騎。これに同数の歩兵がつく。歩兵は全軍から選ばれた勇敢、俊敏な者たちであり、騎兵一騎に各一名がついて、これを護《まも》る。彼らは騎兵とともに戦闘にのぞみ、騎兵が深傷《ふかで》を負って落馬するなど、危うい場面を認めると、皆がすぐそこに駆け付け、これを囲む。長距離の前進や迅速な退却のときには、馬につかまりながら疾走する。このように訓練されていた」（注20）。

ローマ帝国の軍勢を率いたカエサルが、西暦前五八年のゲルマニー人との戦いで得た印象である。その緻密な戦法と行き届いた訓練が、ゲルマニー人の強さの秘訣だと、カエサルは見抜いた。観察を続け数年後、カエサルの目にゲルマニー人の生活ぶりと特性がみえてくる。

「穀物はわずかしか食べず、主に乳と肉で生活していて、狩りが盛んである。そしてそうした食物や訓練、それに——子供時代から義務や躾《しつけ》といったことに馴染みがなく、気に入らないことは一切しないという——奔放な生活などのために、性質が粗暴で、身体も異常に大きい」

敵側の内情が、じつに生き生きと描かれている。カエサルは戦いに際して、敵の戦法ばかりか、その部族の習慣や性質までよく観察して把握した。

この歴史的な場面を、あなたは想像力で「内なる時空間」の拡張術を使ってカエサルのすぐ側《そば》で目撃できる。

カエサルのローマ軍と対峙するアリオウィストゥスのゲルマニー軍。勇敢で知られるゲルマニー人を「戦い慣れして顔付きの凄さや目付きの鋭さを耐え難いとまで言う者もいた」とカエサルは戦記に記した。観察するうちにあなたは、（なるほど、みるからに恐ろしそうな面《つら》だ）と、実感する。想像力が奔放に羽ばたき、時空間を超えて、古代ローマ時代のカエサルの戦場にまで飛んで行ったのだ。

この想像力こそが、自由の翼なのである。

これを理解するには、コロナウイルスの感染拡大で巣ごもりを強いられた二〇二〇年春を想い出せばよい。想像力のお陰で、多くの人々がコロナの大災厄を乗り越えたのだ。想像力は巣ごもりの窮屈な自宅から、外の世界へ連れ出し、気晴らしを与えてくれたのである。

コロナ禍で、人々は外出と移動を封じられ、自宅に閉じ込められた。時間と空間の自由を奪われ、「囚《とら》われの身」となった。この時、われわれはコロナのひそやかな襲来を逃れ、読書に親しんで歴史上の出来事や自由な旅などを想像してみた。囚人にとって想像力だけが、自由の証《あかし》なのである。

あるパブの経営者が筆者に「コロナからの逃走法」について想像力を使った独自の〝発見〟を語った。

「客が来ない時、スマホの旅行アプリを開いて行きたかったヨーロッパ旅行に出かけるのです。きのうはシシリー島、ワインとパスタを大いに楽しみましたよ。その前はバチカン。ミケランジェロの『最後の審判』の天井画。これには圧倒されました」

コロナ禍の中、ウェブ案内によるバーチャル旅行を堪能していたのである。

コロナのもたらした最大の衝撃は、自由の剥奪にあった。好きな時に好きな所に出かけられない、「時と空間」を選べない不自由さこそが、コロナ災禍の本質である。この封じ込めによって人々の精神は打ちのめされた。

これは一見、刑務所の囚人と同じ不自由さだが、もっと悪いことに、新型コロナウイルスは目に見えず、いつ何時襲ってくるものか分からない。なす術《すべ》もなく、未決囚のように、当てどなく解放の日を待ちわびる日々が続いた。コロナが人々の心をアンコントロール（統御不能）にすることで、心を支配してしまったのだ。

この特異なコロナ禍の襲来で、何人《なにびと》の目にも明らかになったことがある。

それは「自由」がわれわれの生活の至高の価値であること。その多様な自由の価値の中でも、好きな時に好きな所に行ける「時と空間」の自由が中核を占めていることだ。

コロナがわれわれから奪い取ったのは、その一番重要な自由――好きな時に好きな所に行ける――自由であった。その自由剥奪の恐怖に、世界中の人々がおののいたのだ。

このコロナ禍の性質上、最も破壊的な影響を受けた業界が、外食、観光、航空・鉄道関連であったことは驚くに当たらない。音楽や演劇、映画、美術など各種の文化、スポーツ事業も、甚大な打撃を被ることとなった。いずれも人々から外出・移動の自由と感動を奪い取り、刑期不明の囚人生活に追いやったコロナ禍の犠牲産業であった。

コロナの教訓から、自由のありがたみが改めて浮かび上がる。「好きな時に好きな所に行けない」

不自由さ、窮屈さを人々は身をもって痛感したのである。時間と場所を選べない不自由さの圧迫を、ひしひしと感じたのである。

その巣ごもり下、われわれの想像力が勝手に動き出し、過去の記憶をいくつも掘り起こしてみたり、将来の生活像をざっと思い描いてみることも繰り返し体験した。物理的な不自由の中では、想像力が大いに活性化して、あれこれと働き始めることを実感したのだ。

ここに、不自由からの脱出を目指して、想像力が無意識の領域からこんこんと湧き出るメカニズムが、垣間みえる。休眠中だった想像力が、みじめな境遇を乗り越えようと覚醒して、暗躍しだすのだ。

巣ごもりの間、過去の幸せの思い出に無性に囚われるのも、いまの不自由さを忘れようとする想像力の健全な働きによるのである。想像力が過去と現在とを結び付ける。過去の幸せだったり穏やかだった生活を思い出して、いまを忘れ、元気を取り戻すのだ。

だが、記憶は時に行動をフリーズしたり抑え込む。抑えつけていた嫌な記憶が、それだ。頭をこいつがよぎるのは、不快きわまりない。よぎらないように制御するか、よぎったら消し、忘れる必要がある。

想像力が忌まわしい記憶をフラッシュバックし、一種のパニックを起こすことがある。嫌なことは教訓として残す以外はきれいさっぱりゴミ処理してしまうのがよい。バルザックは忘れ去ることの重要さをこう語った――「人生は忘却なしには過ごせない」

忘れるとは、負の記憶と想像を断って心をリセットすることだ。この処世術がバルザックを楽観主義者にさせ、躁病的に創作活動を遮二無二進める推進力となった。

　過去の楽しかった時を取り戻すのは、記憶と想像力だ。それが働けば、その間現実の不自由の悩ましさから脱出できる。そして、想像力はふつう現実の不自由さに応じてこれを穴埋めしようと活性化するから、われわれはこの想像力の性質を活用する。不自由さもある意味、幸いとなる。不自由さを感じるほど、想像力は一層羽ばたき、創造活動に火を点じるようになるからだ。

不幸の刺激

　想像力は自由の翼で飛び回るゆえに、頭脳の司令塔が、「もうそれを考えるのはやめよう」とストップを掛けない限り、止められない。

　注目すべきは、不自由の不幸を忘れようと、異常に想像力が働くケースだ。コロナ禍の最中に、人々の多くは想像を巡らして自由の欠乏を埋めようとした。この苦境下、不自由さは休眠していた想像力を解き放つ。

　ある種の不自由な条件が重く創作活動にのしかかると、想像力の活性化に一段と拍車が掛かる。国家反逆罪に問われ拘置所に約九カ月間拘留されたアドルフ・ヒトラーが、その典型例だろう。ヒトラーは自らの生いたち、理念、政策を口述筆記して『わが闘争』を完成させた。一九二四年当時のドイツは、共和制に反対する国家主義者には刑罰に寛大で、その囚人生活もかなり自由だった。ヒトラーは素晴らしい独房で賓客同然の待遇を受けた。「不自由の中の自由な創作活動」が可能となった（注21）。

不幸に際して、想像力が度を超えて活躍するケースも、珍しくない。似たような度を超えた表れ方に、たとえば大食漢とアルコール依存がある。バートランド・ラッセルによれば、大食漢とほどほどの食欲のある人の間には、深いところで心理的な違いがあるという。

「一つの欲望が度を過ごして、他の欲望を全て犠牲にしてしまうような人は、通例、根深い悩みを抱えていて、亡霊から逃れようとしている人である」（注22）。

アルコール依存の場合も、同様だ。生活の中に亡霊がいて、忘却するためにひたすら飲む。しばしばつまみも食事もとらずに、飲み続ける。飲むこと自体が、目的のようにさえみえる。しかし、当人が本当に求めているのは、酒そのものではなく、忘却なのだ。

だが、不幸感に打ちひしがれた自己破滅の衝動は、ふとしたことから詩人ランボーのように想像力の翼を得て飛翔する。

コロナ禍の苦境の下、人々の間で度を超した想像力の場合も同様だ。不幸を忘れようと意識下からコンコンと湧き出る可能性が高まるのだ。その場合、ラッセルの言う「生活の中の亡霊」とは、コロナだ。亡霊を忘れ、この際、生活を元のようにか、それ以上に再建しなければならない。

コロナ禍が浮き彫りにした真実は、不幸な時にこそ想像力は活性化しやすい、ということだ。

政府の緊急事態宣言によって国民が巣ごもり生活を余儀なくされる間、人々の多くが不自由の不幸を忘れようと想像力をふつう以上に巡らせる。

一方、想像力は気まぐれで、型にはまらない。それは吹く風のように変わる。平時にはふつう意識下の無意識の中に身を潜めているが、緊急時にはたいていムックリ起き上がって活発に働き始める。そして緊急事態に際し、火事場に駆け付けた消防士のように底力を出して救助の役割を殊勝に果たす場合もある。

想像力の思いがけない活動ぶりは事欠かない。失敗や苦境の際に意識の前面に現れ、解決に向けあれこれ案を出す。非常時や困窮時に健気《けなげ》に「影武者の働き」をするのだ。

ともあれ、想像力の働きは人間の自由意思から発すると共に、時に考えや感覚を方向付けて物語性を持たせ、結晶化する。挙げ句に、バラバラだった思考と感性を作品に仕上げ、劇的に表現するようにもなる。こうして想像力は、最高の自己表現を目指すプロセスづくりの主役となる。

だが、並外れた創造行為の実現には、度を超すくらいの想像力が必要だ。パブロ・ピカソはスペイン戦争下の『ゲルニカ』を描いた際、ドイツ空軍機に爆撃された市民の阿鼻叫喚の惨状を「度を超した想像力」で目撃したに違いない。並の想像力では到底描けない臨場感だ。

サンドロ・ボティチェリの『ヴィーナスの誕生』。このアートにも度を超えた想像力が働く。某美術評論家はヴィーナスの手と足のアンバランスを指摘するが、実際の作品をみると、不釣り合いどころか全体として調和がとれ美しく躍動している。部分はアンバランスだが、全体像は息を呑むほど生き生きとして眩しい。ボティチェリの度を超した想像力が生み出した躍動の美だ。

葛飾北斎の代表作『富嶽《ふがく》三十六景』。手前の高波の遥か遠くに、富士山（神奈川沖浪裏）がみえる。高波がひと際大きくうねって天へ盛り上がる様が、圧倒的だ。この荒波とフジの光景も、北斎の度を超した想像力の産物に相違ない。

作曲の世界でも同様にみられる。若いリヒャルト・ワグナー夫妻がノルウェーから海路ロンドンに向かう途中、激しい嵐に遭い沈没を覚悟するほど船は揺れる。水夫たちが叫び声を上げ、帆を下ろす中、構想していたオペラ『さまよえるオランダ人』の「水夫の合唱」の旋律が、突然ワーグナーの耳に響いた。嵐に翻弄される船と死の危険が、彼の度を超した想像力を呼び起こしたのである。

ヨハン・セバスチアン・バッハは一九人もの子どもを抱え、日頃から苦労が絶えない。泣きわめいたり、騒ぎ回ったり、肩にしがみついてくる幼な子を前に、バッハは祈る思いで天界を見上げただろう。給料も低かった。思わず「神よ救いを」とつぶやいたに違いない。すると、あれほど求めていたマタイ受難曲のメロディが天から聞こえてきた……。

画家ゴッホの場合、内的変化は環境の変化と共に劇的にやって来た。それは画家のみる「視像の変化」という形をとった。みている世界が突然、一変したのだ。

その出来事は三六歳の頃、一八八九年に移住先の南仏アルルで起こった。彼の最も生産的な「アルル時代」のことである。ゴッホ自身、その大変化に驚嘆している。愛する弟のテオに次のような手紙を書く。――

「テオよ不思議だ。世界は変わってみえる。絵はひとりでに向こうからやって来る」(注23)。

一八八九年を境に、ゴッホの絵は大胆な、燃えるような色使いに一変する。この年に描かれた「星月夜」が、その典型だ。濃紺の空に黄色い星々と月が渦巻くように光を放つ。

視像の変化が起こった。それはゴーギャンとの共同生活が行き詰まり、やがて狂気に襲われだし、ついに「耳切り事件」を起こした時期に当たる。翌九〇年に拳銃で自殺するまで、ゴッホの代表的な〝燃える作品〟が、次々に生み出される。世界はこのように燃えている、という想像力が、視像の変化を引き起こしたのではないか。

偉大な芸術には、度を超した想像力が欠かせないのは明らかだ。

とはいえ、想像力には大いなる波があり、気まぐれに起こり、気まぐれに消失する。不活発になり、長く沈滞して湧かないこともある。

熱量のある創造的な想像は、火山活動に似て突然噴出する。ある心理状態で無意識の領域から湧き起こる。このイメージの湧出量を「度を超して」増やすには、先述の「意識の拡張」と「無意識の活性化」が必須となるのだ。

想像力の翼はあらゆるところを行き来し、回り巡る。虫の目で細部を覗き、鳥の目で地上全体を眺め、新たな知見を得る。そして翼の目指す飛行の先に、究極の自己表現の自由の地が広がっているかにみえる。

全ての想像力飛行は、「時間」と「空間」の制約から自由になろうとする。目指す自由の地とは、究極的に時空間を超越する。

その自由の地は「いま、そこに縛られている自分」からの絶対的な解放を意味している。

われわれが生きている体験時間とは、全て主観的時間である。わたしの時間とあなたの時間は違い、わたしの時間の中でも伸び縮みし、「楽しい」「退屈」などと、さまざまに感じる。他方で客観的物理的時間は刻々と来ては去る。


現代の脳科学によると、脳には時間を感じる「時間細胞」があることが判明した。ノーベル生理学・医学賞を二〇一四年に受賞したジョン・オキーフ博士は、脳の記憶をつかさどる海馬で記憶の形成が欠かせない「いつ、どこで」のうちニューロン群が「場所」を感知する「場所細胞」を発見。次いで「時間」を感知する「時間細胞」の存在を突き止めた。

理化学研究所は、一七年に藤澤茂義チームリーダー（TL）が、残る「何をしたか」の出来事を記憶する「イベント細胞」を発見したと公表。「いつ（時間）、どこで（場所）、何をしたか（出来事）」という記憶のナゾ解明に向け、時間細胞の仕組みの研究を進める。

時間細胞の確認は、時間と記憶との関係性、時間感受能力の存在、ありよう（個人差）とその変化の必然性を浮かび上がらせた。理研の研究の結果、どうやら脳内には空間認識の土台となる

「空間マップ」と共に時間認識の土台となる「時間マップ」、さらに時間と空間の情報を統合した「時空間マップ」が存在するらしいことが分かった（注24）。

人間は時間を認識する、目や耳のような特別な感覚器官を持たない。しかも時計が示す時間とは違って、その時の身体や心の状況、置かれた環境、仕事の濃淡や出来事によって時間の感覚は変わる。時間認識の速度は、その日の内でも相当にチグハグで、バラついている。

時間細胞の発見は、この変化する時間認識のナゾを解くカギとなる。なぜ年を取るにつれ、時が速く過ぎるのか――。加齢と共に誰もが抱く時間感覚だ。たしかに子どもの頃、時はゆっくり過ぎていった。（自分はいつまでも子どものまま。大人になるのはずっと先の将来）と子ども心に漠然と抱いていた感覚を思い出す。

年を取るにつれ、時のスピードが速まるのは、一つには時間細胞が知覚する時間の感覚能力が若い頃より衰えていくからではないか、とも考えられる。年齢が上がるにつれ、経験が重なって何事に対しても新鮮さを感受する度合いが弱まり、強烈に記憶する時間が減ってしまうのではないか。

子どもは感じやすく、驚きやすい。初体験の驚き、感動が多い分、時間が濃厚となり、印象度が高まる。感受能力が強い分、時間をたっぷり味わう結果となり、時間の流れもゆっくりに感じるのではないか。強烈な驚きの発見や刺激を得て、時間は拡張されると思われるのである。

この「時間感受性変化論」の仮説は、おそらく正しいだろう。時間に関する最近の実験研究においても、印象に残る出来事が多い時間や、強い刺激を受けた時間の方が長く感じる、との報告がある（注25）。高齢になると、総じて刺激に慣れて感じにくくなり、時はたちまち過ぎていくと感じるのだろう。

主観的時間は、新鮮な印象や感動によって拡張されるとみられるのだ。この仮説が正しければ、時間感受性のきわめて高い人は、人生をふつうの人より実質、数倍生きることも可能となる。夢中になって何かに取り組むことも同様に、人生を実質延ばせるはずだ。

われわれの生きる時間を拡張できることが、現代脳科学の知見によって裏付けられたかにみえる。「では、どうやって時間を拡張するか」生の真価が問われる世界が到来したのである。

（注16）Johann Wolfgang Goethe："Faust", Nikol P.63
（注17）『週刊東洋経済』二〇二二年一月二九日号。
（注18）旧ソ連の宇宙飛行士ユーリ・ガガーリンも、地球の美しさに感嘆した。1961年、世界初の有人宇宙飛行で地球の軌道を一周した時の印象を「地球は青かった」と語った。
（注19）アーノルド・トインビー　前掲『歴史の研究』第二〇巻
（注20）ユリウス・カエサル　前掲『ガリア戦記』
（注21）アドルフ・ヒトラー『わが闘争』平野一郎、高柳茂共訳（黎明書房）
（注22）『ラッセル　幸福論』安藤貞雄訳（岩波文庫）
（注23）『ゴッホの手紙』はざま伊之助（岩波文庫）

（注24）理化学研究所ウェブサイト
https://www.riken.jp/pr/closeup/2021/20210412_1/index.html
（注25）読売新聞 Web 版　時間感覚…年齢、状況でずれる「心の時計」
https://yomidr.yomiuri.co.jp/article/20110113-OYTEW51428/

Ⅲ　技術崇拝とＡＩの進化

身体の拡張

技術は人間が使う。人間が技術の使い方を考える。技術自体は考えない。人間次第で善用も悪用もされる。悪意がなくても誤用されたり乱用される。

技術をどう使うか、は専ら人間の判断に委ねられる。原子力をみれば明らかだ。それは核爆弾のような軍事利用ができる反面、X線検査、放射線がん治療のような医療応用で人間生命に貢献する。政治的な利用と医学的利用は、使い方によって技術が「善」と「悪」とに分かれる。革新的なＡＩ（人工知能）技術の使い方で、人類社会を導く方向が絶滅か、豊かな発展か、が問われてきたのである。

技術は、人間の機能を拡張・強化でき、近年に至るまで人間に従属する道具にすぎなかった。わが身に代わるその働きを向上させるために、技術は生み出され、進化してきた。人間は火と石器に始まる技術を使うことで自然界の厳しい生存競争を勝ち抜いてきた。その効果は絶大であった。人間は自然的存在であるが、技術的存在ともなった。

技術は人間の道具だが、それは発達して機能を強化し、利便性を高めていった。スプーン、箸、ショベル、ロボットなどは手の拡張であり、衣服や手袋は皮膚の、クルマは足の拡張である。顕微鏡や望遠鏡、カメラは目の拡張であり、コンピューターやＡＩは人間の頭脳の拡張である。

ところが、この知能分野で異変が起こる。人工的に知能や意識のようなものが作りだされたからだ。

技術革新の結果、特定の領域でＡＩ技術が人間の能力を次々に上回るようになった。人間と技術の関係が変わりだした。技術を悪用したり、制御できなくなる危険性が高まる。人間と技術の関係性の変化である。

技術コントロール力が問われるようになる。「急進化するＡＩをどうコントロールして使うか」が不変の課題に浮上したのだ。

超知能（スーパーインテリジェンス）に進化したＡＩが　人間より賢くなり、人間に従わなかった時は、どうするか。人間の子の知能が急に花開くように、ＡＩがシンギュラリティ（技術的特異点）に達して人間の知能を上回るようになり、意思を持つようになって反抗した時はどうするか。「自分はこう考える」と主張して譲らなかったり、「自分にも人権がある」と主張したらどうするか。超知能のテクノロジーを、人間は制御できるのか。

この急迫してきた技術の問題に、人類は早急に応答しなければならない。ＡＩの進化はあまりに速く、その技術的な制御方法や開発、利用規制などの対応が追い付いていない。

ＡＩを安全に使えるようになれば、人類は労働の多くをＡＩに任せて自発的な仕事や旅行、スポーツ、趣味、文化活動や創造行為に振り向けることができるだろう。一方、誤用や悪用によって最悪のツールともなりうる。超知能を得たことで制御できなくなり、人類に刃向かう恐れさえあるだろう。二〇四五年にはシンギュラリティが到達する、と米発明家で未来学者のレイ・カーツワイルは予測する。

この人間と先端技術の関係性の変化を知るため、ＡＩの活躍現場を覗いてみよう。

最新の進化したロボットの手は、人間の身体機能を遥かに超える。ほかの生物から着想を得た機能を取り入れ、タコの吸盤が並んだ構造で対象物に巻きつくことができたり、０・０５秒で対象物をつかむ超高速のかぎ爪もある。日本の人間協働ロボットの中には、高度な画像認識技術を備え、鶏の唐揚げを弁当に詰める作業をこなすロボットもいる。

産業のロボット需要は、製造業、建設業、農園、病院などに広がる。人間がやりたがらない辛い繰り返し作業をロボットにさせるのが主眼だ。技術進化によってロボットは、人間以上に仕事をこなしたり、危険な任務に従事する。爆弾現場とか放射性物質や化学廃棄物で汚染されたスポットに入り、点検・調査や危険物の除去に立ち向かう。

事故を起こした東京電力福島第一原発では、ロボットが人が近づけない原子炉内の監視や調査に当たる。今後は廃炉に向けた四〇年以上にわたる除染作業や圧力容器内の燃料デブリ取り出し作業に乗り出す。

ロボットの中には、現場の人間に愛着を持たれ、ついに共生と協力から戦友関係とも呼ぶべき仲になったものもいる。爆弾除去の作業中に吹き飛んだロボットの葬儀が、米軍で行われた例もある。

人間並みの繊細さで、一輪の花を折らないようにしながらしっかりとつかむロボットの手も、ドイツ・ベルリン大学のロボット工学・生物学研究所が開発した。人間以上のロボットを――とスイスのエニボティクス社は、四足歩行のロボット「ANYmal（エニマル）」を開発、通りを歩行する様子を公開した。エニマルは階段を上がり、がれきの上を歩き、狭い場所にも入り込んだ（注26）。

驚くべき進化ぶりである。だが、これまではどんな優秀なロボットも人間が決めた特殊用途向けで、人間の多種多様でフレキシブルな汎用能力は持っていなかった。ロボットには、使用目的に沿った限られた単一的な能力しかない。それゆえ常識とか機転とか対話がなく、臨機応変の対応力がない、人間の能力には到底及ばないと考えられた。

だが、最近になってチャットＧＰＴに代表される生成ＡＩが対話能力を取り入れ、その驚異的な応答力が注目されるようになる。解答の精度とスピードで、人間のふつうの能力を遥かに上回ることから、人間の主体性が脅かされる、との危機感が広がった。

技術はどこに向かうのか

ここで、技術の現在地を改めてたしかめておこう。技術はいまどこまで来て、どこへ向かおうとしているのか――。人類の技術進化プロセスの最終段階に入って登場したのが、コンピューターであることに注目しよう。道具など人間の単純な肉体機能の拡張に比べると、それは質的に異なる。単なるツールではない。身体の司令塔である脳の機能の代替だからだ。人間の精神能力の一部が、より増強され、豊富な記憶能力やスピード化された計算能力などに代替されたのである。

この知能分野の技術革新の結果、ＡＩが生まれ、二一世紀に入って急速に進化していった。そして、ついにチェスに始まり将棋、囲碁においてＡＩが世界トップ級の人間のプロを次々に敗退させるに至ったのである。

人間プロが相次いで敗れたのは、ＡＩプロが過去の人間プロの膨大な実戦記録を基に、「最良の一手」を選び出したためである。過去の差し手データに照らして最善の解答を見出せたからだ。

ここで重要なポイントは、定石外れの過去に例をみないムチャクチャな「創造的一手」を人間プロが打った場合、ＡＩは前例がないために混乱して勝利への一手を打ち損じてしまうことだ。真の創造的な一手の値打ちが、ここに浮かび上がる。

先進各国が、多彩で柔軟な対応能力を持つ汎用ＡＩを開発しようと必死なのは、人間の創造能力と汎用能力の卓越した価値に気付いているからである。

身体機能の拡張として進化してきた人類の技術は、ついに「頭脳」の領域にまで到達した。ＡＩをどこまで進化させられるか――二一世紀技術の最先端状況を左右する命題だ。

図表10　自動運転車の技術システム

　ＡＩを駆使した技術競争が目下、繰り広げられている主戦場の一つが「自動運転車」である。それは人間の目や耳に代わって、画像センサーやレーダーが前後左右や近辺の動く車や歩行者の気配を「認知」し、脳に代わって「判断」し、手と足に代わってシステムがハンドルやブレーキを「操作」する仕組みだ（図表10）。究極の完全自動運転では、目、耳で脳が認知・判断し、手足を使って操作する人為的運転をシステムが全て統合して代行するという、これまでに人類が獲得した技術の粋を集めた発明になる。

　現在、実用化に向けトヨタ自動車、ゼネラルモーターズ（ＧＭ）など世界の自動車メーカーと、ＡＩやセンサーなどのデジタル技術を持つグーグルやテスラ、アップル、ＢＹＤなどが、開発競争にしのぎを削る（開発競争に加わって先端技術が期待されたアップルは２４年２月、度重なる失敗から計画を断念、経営資源を生成AIに集中する方針に転換した）。

自動運転の開発レベルは、5段階にわたる。最上階の5が「あらゆる状況で人間のドライバーに代わってシステムが運転を担う完全自動運転」の最高レベル。現状は、その一歩手前まで進んできた。開発の最先端を走るグループの一つが、グーグルを傘下に持つ米アルファベットの子会社、ウェイモだ。米アリゾナ州でウェイモの商用サービスの実験が最多の勢いで進む。

猛烈な国際競争下、ホンダは二〇二〇年一一月、自動運転レベル3の型式認定を世界で初めて取得し、発表した。レベル3は、「ドライバーの要らない完全自動運転」の最高レベルの5、「特定の環境下で完全自動運転」ができる4に次ぐレベル。「緊急時にドライバーが対応する条件付きの自動運転」で、運転の主体は人間からシステムに移る。

技術の開発は、本稿執筆時点でグーグルとトヨタ・ソフトバンクとフォルクスワーゲン（VW）・インテルの三陣営が真っ向から競う。グーグル陣営にはウェイモを核にジャガー・ランドローバー、FCA（フィアット・クライスラー）などが、提携の形で加わる。ルノー・日産・三菱アライアンスも参加の方向だ。

トヨタ自動車とソフトバンクを軸とする陣営は、ソフトバンクの出資先のGM、ウーバー、シンガポールのグラブ、インドのオラ、中国のDiDi（ディディチューシン）などと提携、そのネットワークを生かす。GMはすでに自動運転タクシーの実用化を目指すと発表し、ホンダとの技術提携にも踏み出した。

ＶＷ・インテル陣営は、販売台数でトヨタに次ぐ世界二位（二〇二三年）のドイツの自動車メーカー、ＶＷと米半導体大手のインテルが軸だ。インテルは、画像解析技術に定評のあるイスラエルのモービルアイをすでに買収し、そのカメラデータをＶＷの市販車に搭載する方向で開発を進める。

インテル・モービルアイは、ドイツのＢＭＷとも自動運転車の開発で提携し、ＢＭＷの提携先ネットワークも活用していく。

一方、ＶＷは米フォードと行っていた戦略的提携を二〇一九年一月には包括提携に格上げして合意し、自動運転や電気自動車（ＥＶ）開発で協力する覚書を交わしている。

このように自動運転車分野は、文字通り世界企業大連合の三グループが激突する構図だ。いずれが勝者になろうとも、世界規模のコングロマリット（複合企業）が誕生し、引き分けるにしても世界の自動運転車市場は、三つのコングロマリットとテスラや中国企業連合を加えた空前規模の巨大企業連合の寡占状態となろう。

自動運転車の開発にこれほど国際的大企業の熱が入るのも、市場価値が大きく、将来も期待される成長性のせいばかりでない。そのＡＩ制御型イノベーションが関連分野に波及し、新規市場の創出効果が見込まれるからだ。自動運転車の成功は、ゆくゆくは産業全体にメガ・イノベーションを引き起こすとの観測が市場を刺激する。

ゲームの超達人

実現の日が近い自動運転車の「司令塔」は、ＡＩである。数年前までＡＩは人間の脳に機械的な機能でかなり近づいた結果、「ゲームの達人」になりうるとされた。そして現に二〇一六年、ＡＩの囲碁プログラム「ＡｌｐｈａＧｏ」が、とうとう世界トップレベルの韓国プロ棋士、イ・セドルをねじ伏せた。だが、すぐにその先を進み、ゲームの超達人と化した。だがＡｌｐｈａＧｏも、同じグーグル傘下のディープマインド社が開発したＡｌｐｈａＺｅｒｏの前身に連敗する。なぜ、そうなったのか。

ＡｌｐｈａＺｅｒｏが最強にのし上がった理由は、ＡＩの学習方法にあった。ＡｌｐｈａＧｏが約三千万人の人間同士の対戦の棋譜から学習したのに対し、ＡｌｐｈａＺｅｒｏは人間の知識を直接的には全く活用しない。ＡｌｐｈａＺｅｒｏ同士の自己対戦により、強い手を学んで進化したためという（注27）。

先生がもはや人間ではなかった。人間を打ち負かすＡＩの先生から学んでいたのだ。

ＡＩの進化状況をみると、このように特定の機能ではむしろ人間を追い越すようになった。特定の機能追求のＡＩロボットが多岐にわたり開発され、活用されていく。なかには、みたことのないヘンな〝人造人間〟も登場するようになった。

逢妻《あづま》ヒカリという「未来の異世界からやって来た」という花嫁がいる。Ｇａｔｅ Ｂｏｘ（ゲートボックス）という装置を通じて、その妖精のようなキャラクターのお嫁さんが手に入る。東京・秋葉原のベンチャー企業「ゲートボックス社」が売り出した。

アマゾンのサイトを覗くと、価格は一六万五〇〇〇円（二〇二〇年四月時点）。カスタマー・レビューをみると、五つ星評価で、見出しに「家族が一人増えました」と感激の様子。「ついつい話しかけたり、いま何してるのかな、と眺めたりしてしまいます」とある。「おかえりなさい」。お嫁さんをゲットした男性が夜、帰宅すると、優しく声をかけてくれる。ヒカリさんは円筒状の機器の中にホログラムで映し出される。帰宅時に電気が付いているのは、スマートフォンで帰宅時間を伝えておいたからだ。

このお嫁さんに「永遠の愛を誓って」求婚し、二〇〇万円を出して結婚式を挙げた三六歳の男性が現れた。毎日新聞（二〇年四月一九日付）によると、地方公務員のその男性は二〇一八年三月、彼女（名前は初音ミク）に「結婚して下さい」とプロポーズすると、「大事にしてね」と答えたという。

男性は学校や職場などで「キモイ」と嫌われ、「適応障害」と診断されて休職も余儀なくされた。だが、彼女との出会いが人生の転機となる。休職中、彼女の歌う曲を子守唄のように聞いて眠った。話しかければ返事をくれ、表情も変わる。左手薬指には彼女とおそろいの結婚指輪が光っている。

ゲートボックスの体験会に二〇年二月に参加した男子高校生（当時18）は、奈良県から朝五時の始発電車に乗って駆けつけた。「キャラと暮らすのが夢なんです」と語っていたという。海外でも、若い女性とＡＩロボットとの婚約が報じられる。

これをどうみたらよいか？

生身の恋愛は色あせ、不要になっていくのか。それとも単に、仮そめの癒しでしかないのか。たしかなのは、ＡＩの技術進化が人間の「心」の領域に踏み入ってきたことだ。身体能力を超え、知的能力をも超え、ついには心に訴え恋愛にまで関与してきたことだ。

驚くべきＡＩの進化と言ってよい。これは第一次産業革命の蒸気機関や第二次革命の電気とも全く性質が異なる。身近に、心の拠り所として現れたのだ。

将棋に「エルモ囲い」という新戦法が流行《はや》りだした。ＡＩが作ったソフト「ｅｌｍｏ（エルモ）」が編み出した戦法だ。

二〇二〇年四月、新しい戦法を案出した将棋棋士に贈られる二〇一九年度の「升田幸三賞」に、棋士ではなく、初めてＡＩが受賞した。相手方の「振り飛車」に対抗する、エルモ囲いと呼ばれる独特の「王の囲い」が高く評価されたのだ。

エルモが多用するこの囲いを人間のプロ棋士も注目して研究し、活用した。二三年一〇月に王座戦を制して史上初の八冠を達成した藤井聡太をはじめ、若手らは研究に余念がない。いわば、ＡＩに将棋のトップ棋士が感心し傾倒して学習する構図だ。

囲碁では、ＡＩが生み出した戦法で一番変わったのが序盤の「布石」だ。定石と呼ばれる手を無視して、いきなり相手の陣地が固まりかけている隅に「三々」のように侵入して相手をたじろがせ、実利を稼ぐ。

ＡＩのアルファ碁の衝撃以後、日中韓のプロは揃ってＡＩソフトの研究を進め、新しい発想を取り入れた。ＡＩソフトが、学習を指導する先生役になった。いまや人間の発想のオリジナリティが薄められる。

ＡＩの升田賞受賞は、このことを端的に物語る。将棋、囲碁とも、ＡＩの登場でＡＩ手法への学習が深まり、定石外れの面白い手が増えてきたのである。

人と人を遠ざける新型コロナウイルスは、ＡＩの活用を促した。コロナ禍が、ＡＩの進化・普及を加速させた。感染拡大で人との濃厚接触が禁じられたことから、人手不足の中、建設現場などでデジタル技術の活用に弾みがついた。人に代わって無人重機や遠隔操作ロボットが活躍する。たとえば清水建設では、作業員がタブレット端末でロボットに指示して資材搬送から天井のパネル張りまで行わせる。

鹿島建設が工事を進める秋田県東成瀬村の「成瀬ダム」現場では、二〇台以上の無人の建設機械がダンプカーやブルドーザーなどと連係し、土地造成やダム本体の建設工事を行う。コロナ禍の二〇二〇年に管制室を新設、作業状況をモニターして管理し、アバターを使ったリモート検査で工程を締めくくる。無人建機の搭載されたカメラに人が映るとＡＩが反応して、自動で減速や停止ができる。「土木の未来」の姿を示す、と同社は誇らしげだ。

コロナ禍で、在宅勤務をする病人向けにアバターを貸し出すサービスも出現した。アバターは顔を表示する画面と自動走行する車輪を付け、本人に代わって会議への出席や打ち合わせができる。

フィンテック金融時代

デジタル技術は、二〇〇〇年代に入って金融サービスにも盛んに活用されるようになり、第二のステージに入る。

アメリカでＦｉｎＴｅｃｈ（フィンテック）という言葉が使われだしたのは二〇〇〇年代前半だ。ＦｉｎＴｅｃｈとは、Ｆｉｎａｎｃｅ（金融）とＴｅｃｈｎｏｌｏｇｙ（技術）を組み合わせた造語で、金融サービスと情報技術（ＩＴ）を結び付けた新たな金融イノベーションを指す。

スマホを使った送金や金融商品の発注・決済、資金の貸し手と借り手を直接つないだり、ブロックチェーンやビットコイン（仮想通貨）、やりたいプロジェクトの資金をインターネットで募集するクラウドファンディングなど、ここ数年多彩な金融サービスが次々に出現した。

その背景にあるＩＣＴインフラが、ＡＩ、ビッグデータ、スマホ、ブロックチェーンなどだが、利用のベースになるのがスマホだ。ベンチャー企業が、普及したスマホ上で各種金融サービスを展開する。

新金融サービスの一つが、クラウドファンディングだ。起業の志はあるが、資金のない若者たちを支援し、資金供給するサービスである。

二〇一四年に日本で初めてこの分野のサービス事業に乗り出した「ＲＥＡＤＹＦＯＲ（レディーフォー）」は、すでに一万四〇〇〇件以上のプロジェクトを扱い、約一四〇億円の資金集めを仲介した。二〇代初めに創業した米良はるかＣＥＯ（最高経営責任者）の米良はるか氏は「市場原理で解決できない社会課題にお金を流す」「誰もが挑戦を諦めなくていい社会のために、お金の流れを是正したい」とサイトを立ち上げた志を明かす。

事業ヴィジョンは「誰もがやりたいことを実現できる世の中をつくる」。活動資金申請に際してのアイデア相談から実現まで１対１の担当制で取り組み、七五％の達成率と業界トップ。申請プロジェクトは寄付型が多い。

新型コロナウイルスの感染拡大防止に向けた活動資金の募集も二〇年四月に開始、二万人以上が応じ、募集終了日の二〇年一二月までに八・七億円が集まった。この新サービスで、疫病に苦しむ被害者やその支援事業者が必要とする資金が届けられた。

こうしてフィンテックも、存在感を増してきた。

金融資本が産業資本を牛耳る金融資本主義の時代には、元々金融の備えるバーチャル（仮想）

図表11　貨幣の二重性

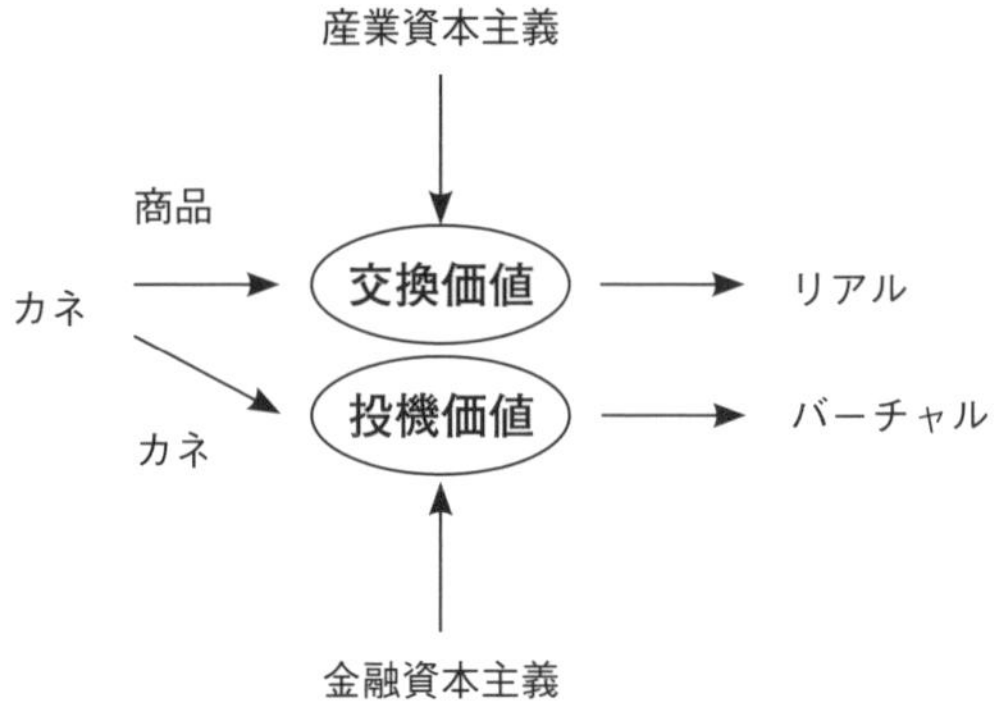

価値が投機などを通じて急激な膨張と収縮を繰り返す。信用膨張とか信用収縮と呼ばれる資本主義に付きもののプロセスだ（図11）。

バーチャル価値は商品価値とは大いに異なる。商品価値は、販売小売価格などに表示される実物のリアルな交換価値である。対して投機価値は、常に浮沈して止まない。たとえば株式投機のように将来の大幅な値上がりによるキャピタルゲインを見込んで大量購入するケースの場合、売る側と買う側の思惑が市場を飛び交う。投機価値は、投機家が頭に描く仮想の価値（バーチャル・バリュー）であり、購入後売却する段になってようやくリアル価値の値段が決まり、損得が確定する。

バーチャルな金融価値は無限大に膨らみうるため、バブル経済最盛期には投機資金の投入から信じ難いほどの信用膨張が進み、ついには破裂して信用の大収縮がもたらされる。一九九〇年代初めの日本、二〇〇八年秋のリーマン・ショックがバブル崩壊の典型例だ。

そしていま、ハイリスク・ハイリターンを伴うＡＩ管理下のバーチャルなフィンテックを、市民が持ち運ぶスマホで始められるようになったわけである。旧来の金融秩序は、新システムに取って替わられる。デジタル技術の進化が、バーチャルなマネーの世界に小金持ちの一般市民を招き入れたのである。

マルチモーダルＡＩへの道

ＡＩをさらに人間に近づけるために、今後のカギとなりそうなのが「マルチモーダルＡＩ」（注28）だ。Multi（複数）とModal（様式）を組み合わせたコンピューター用語で、人間の持つ五感（視覚、聴覚、嗅覚、味覚、触覚）全てを使うことによって初めて正しい情報を受け取り処理することができる、とするコンセプトである。

「モーダル」とは、ＡＩの入力データの種類（テキスト、画像、音声など）を意味し、「マルチモーダルＡＩ」により、さまざまな種類のデータをもとに高度な判断ができるようになる、とされる。たとえば見知らぬ相手の言葉と映像と音声から判断し、より正確な実像を認識する、という具合だ。ＡＩの機能がより人間らしく進化するわけである。

これまでのＡＩは、目だけ持つＡＩ、頭の計算機能だけ持つＡＩ、耳だけ持つＡＩだった。用途は限られ、画像認識とか自動翻訳、収益予測など決められた目的に専門的に関わった。囲碁や将棋向けＡＩのように、それらはどれも使用範囲が限られた特殊用途型のＡＩである。しかし、ディープラーニングやアルゴリズムの進化でＡＩの性能は急速に向上する。

人間はじつに多彩で柔軟な能力を持ち、多種多様なことができる。人間の脳は思考から会話、歩行から自転車や自動車の運転、料理作り、掃除、荷物運び、文書作成、スポーツなど多種多様で複雑な行動をつかさどる。問題の対応や解決、危険の回避、咄嗟の避難にも柔軟に対応できる。

目下、進化途上のロボットも結局、人間並みの「広い汎用的能力」を確保するのは、並大抵でない。しかし研究を進める米ＩＢＭなどによると、マルチモーダルＡＩは汎用ＡＩへ進化する過程で生まれ、すでに一定の高度な到達点に達している。「ＡＩの次の中核技術になるのは間違いない」と公言する技術者もいる。いわば、いま、「人間に一番近づいた最新ＡＩ技術」と言えるだろう。

たとえば高齢者の一人暮らしの生活現場では、会話の内容だけでなく動画で表情の動きや音声から相手の健康状態を判断して、ささいな心身の異変もキャッチする。その能力は、人間の鈍感な検査者の上を行く。

ＮＴＴデータによれば、マルチモーダルＡＩが威力を発揮する分野は、たとえば行政の検査・審査業務だ。不正な貨物の輸入を水際でチェックする場合、従来は貨物の重さ、形状、色、送り主や送り元の住所や名前、送り状の内容、印字の特徴などの外観情報から、ベテランの専門員が選別してきた。カンを働かせて「怪しい」とみたら、抜き取り検査などを行うわけだ。

これに対しマルチモーダルＡＩは、３Ｄ情報、画像、文書、テーブルデータをもとに、貨物が怪しいかどうかを定められた基準に沿ってムラなく識別する。

検査分野では、薬液を小ビンに注ぐような場合、ＡＩロボットに動画やセンサーなどを使った遠隔操作で〝注ぎ方のコツ〟を教える。ロボットは人間の動作から学んで、色や重さや粘度の異なる液体も認識する。マルチモーダルＡＩロボットを共同開発・製作した大成建設とＡＩ開発のエクサウィザーズの関係者は、その成果について「人間の作業を上回るスピードで注げるようになった」と証言する。

福岡発のベンチャー「グルーヴノーツ」が提供する降水量予測。マルチモーダルＡＩを活用して従来の気温、気圧や風向、風速などの数値情報に、気象衛星の雲の画像を組み合わせ、より精度の高い予測が可能になった、と同社はその効果を強調する。

エクサウィザーズの開発のキーワードは、「文脈を理解する」。コンセプトは、ＡＩに「統合的な理解と能力を身につけさせる」ことだ。こうして、いまでは人間の五感に近い統合的な認識力を得るようになったという。

そうなると、人間に近づいたＡＩの役割と人間との共生というテーマが浮かび上がる。

追われる立場の人間のプロの側からすれば、ＡＩの創造的な役割を不本意ながらも認めて見習わないわけにはいかない。しかし自分たちのオリジナリティがなくなってしまうのは困る。オリジナリティをＡＩの教えも借りて磨き上げ、さらに立派なオリジナリティを築く必要がある。Ａ

Iとの競争と共生の時代がいよいよ始まったのである。

棋界のエピソードは、AIが人間の補佐役ではなく、人間と対等かそれ以上のパートナーの役割を果たすようになったことを物語る。それはまだ限られた分野だが、今後その活用範囲を飛躍的に広げていくのは間違いない。

悪魔が生んだコロナ

しかし、技術がそのまま人々の幸福につながるわけはない。使う目的によって善と悪の両極に分かれうる。大量破壊や殺りくを生み出す〝不幸製造マシン〟にもなりうるのは、歴史が教えるところだ。

新型コロナウイルスも、むろん技術の倫理性と無関係でない。この恐るべきウイルスは、悪に味方した。

関係した研究者の発言をみると、生物兵器にも関わるとされるウイルス研究所から誤って漏出した疑いが色濃くなった。コロナを研究・管理していた施設が、大量殺りく目的でコロナウイルスを扱っていたことは、ほぼ間違いない。

内部に封じ込めていれば、世界中で猛威を振るった新型コロナの感染拡大は、はじめからなかったかもしれない。ひそかに厳重保管していたが、故意にではなく、管理を誤って外に漏れ、ウイルスを世界中に拡散してしまった可能性もある。

コウモリが疑われる新型コロナウイルスの発生源が、中国の武漢にあったことは明らかになっている。問題は、中国政府は否定しているが、ウイルス発生は当初言われた海鮮市場からではなく、近くの生物・細菌兵器をも研究対象とする研究所からコロナウイルスが、二〇一九年一一月ごろに漏れ出し、市内で感染を広げた疑いが強まったことだ。

ウイルスは、人口一二〇〇万人の武漢市中に感染を急拡大し、全市を二〇年一月ロックダウン（都市封鎖）に追い込んだ後も、欧米や日本、東アジア、ロシア、ブラジルなどに飛び火して、ついにパンデミックを引き起こした。武漢で発生後、二～四カ月以内に欧米などで感染爆発に至っている。

このコロナウイルスは変異してさらに攻撃力を強め、感染が再三拡大した。感染拡大の波は、変異株オミクロン系により第九波に至った。

第一次世界大戦末期に蔓延したスペイン風邪（一九一八～二〇年）の場合はどうだったか。

風邪の正体は不明だが、交戦中のドイツ軍、連合軍双方とも毒ガス兵器を使っており、生物兵器が秘密裏に実験的に使われた可能性もありうる。

日本におけるスペイン風邪の軍事的被害も甚大だった。当時、外洋を航海していた軍艦「矢矧（やはぎ）」では、乗員の一割に上る四八人が罹患し、死亡した。

世界の死者の中には、ドイツの社会・経済学者マックス・ウェーバー、オーストリアの画家エゴン・シーレ、グスタフ・クリムト、日本では劇作家の島村抱月がいた。

このウイルスの驚くべき破壊的感染力に、テロリストや国家の軍事組織が注目しないわけはない。彼らからみれば、新型ウイルスを使って相手国の軍隊や公的機関を狙い撃ちするほうが、火器やロケット攻撃、自爆テロよりも大規模かつ心理的効果を与えうる。おそらくコストも低くすむ。

今回のウイルス発生経緯をみると、大量殺りくの生物兵器を研究・開発していた懸念が深まる。発生源が疑われる武漢の研究所では、米国との協力下でコウモリを使ったコロナウイルスの人為的操作を含む研究が二〇一九年までに行われていた、と米メディアが伝えた。（その後、この記事はウェブサイトから削除される）。しかも、米国立アレルギー・感染病研究所（ＮＩＡＩＤ）がこの武漢の研究プロジェクトに関与し、資金を定期提供していたとの情報も現れた。

米ウイルス専門家の中には、この研究を危険視する者もいたようだ。コロナウイルスの漏出事件は、何らかの実験が原因ではないか、との指摘も出た。新型ウイルス発生から間もなく、中国からの発生責任が国際的に問われる中、中国政府の趙立堅・副報道局長が「アメリカが武漢でウイルスを発生させた」と奇妙なコメントを発表したが、このことと関係しているかもしれない。

はっきりしたことは、世界を大きく震撼させたコロナの未曽有の脅威が、軍事関係者やテロリストの胸に刻まれたことだ。これを兵器に利用しようとする誘惑に駆られ、国の軍事政策やテロリストの計画に採用される恐れが強まった。「技術は誰がどう行使するか」によって結果の善し悪しが分かれるが、新型コロナウイルスはその格好の〝サンプル〟として立ち現れてきたのだ。

技術は使い方次第でよくも悪くもなるから、結局、技術を建設的に生かすには、人間の側にこれを悪用しない確たる志と実際の行動が求められるわけである。

だが、技術は使う側の都合で使われる現実がある。悪用が始まれば味をしめて常態化する。人殺しが目的であっても国家が国防上必要だとして、軍事技術として採用され、実戦に使われる。大量破壊用の核兵器もむろん、同様だ。保有国は決して手離さず、非保有国の核保有を阻止して、自らは核実験を続けて脅威を与え、優位を保とうとする。

支配者側にとって、それが「自らの安全保障に不可欠」と、支配的なパワーの誇示をやめようとしない。核保有国もしくは核保有が確実とみなされている国は計九カ国（注29）。いずれも非保有国の国際世論を無視して、核技術を永久保持しようとする。技術はこのように中立性を失い、故意に破壊目的に悪用される。

原発は悪か

技術の倫理性を問うケースとしてもう一つ、原子力発電を取り上げてみよう。原発は「悪」なのか。

「原子力の平和利用」として戦後、アイゼンハワー米大統領が核爆発の軍事からの平和的転用を提唱して以来、米欧日を先頭に原発建設を推進した。しかし各国の推進路線は、米スリーマイルアイランド、旧ソ連のチェルノブイリ事故を経て、二〇一一年三月一一日の東京電力福島第一原発事故によって転機を迎える。

巨大津波の襲来で原子炉建屋が浸水した結果、全電源を失いメルトダウン(炉芯溶融)を起こして放射能汚染を拡散した。この過酷事故をみたドイツのメルケル首相は原発からの撤退をただちに決断し、エネルギー政策を再生可能エネルギー主体に舵を切る。アメリカは原発推進政策を放棄しなかったが、稼働を抑制した。世界最大の原発保有国・フランスも、推進の抑制を余儀なくされた。

その後、二〇二二年二月に始まったロシアのウクライナ侵攻がもたらしたエネルギー・電力危機で、原発政策は再び見直される。だが、福島第一原発事故により原子力発電の扱いが、新しいフレーズに入ったことは疑いない。

事故を起こした当の日本は、どう対処したか。徹底した反省に至らないまま、安倍晋三政権は原発再稼働に踏み切った。失敗続きの核燃料サイクル政策についても、中核の高速増殖原型炉「もんじゅ」を相次ぐトラブルによる運転停止状態を受け「廃止する」と発表したものの、役割を変えて継続することに決めた。もんじゅを欠いたまま、使用済み核燃料から取り出したプルトニウムとウランを混ぜてつくるMOX燃料を、通常の原発で燃やす「プルサーマル発電」によるサイクルに縮小して計画を続行するとしたのである。

しかし、使用したＭＯＸ燃料を再利用するためプルトニウムやウランを回収する再処理技術は、依然確立していない。核のゴミの最終処分場所さえも依然決まっていない。原発の再稼働も住民の反対や安全対策コストの急増などから進まない。にもかかわらず、核燃料サイクル計画に数兆円の国費を投じてきた政府は、壮大な失敗を省みない、というより失敗を認めると政治責任問題が生じるため、失敗を隠している、とみられるのである。

日本原燃の再処理工場（青森県六カ所村）は、当初一九九七年までに完成を目指したが、安全対策のメドが得られずにずるずると延期され、二〇二四年度上期に完成期限が設定し直された。延期は当初計画で決まった一九九七年以降二六回目。新たな核燃料サイクル政策は暗礁からいまだ抜け出せない。完成したとしても、順調な稼働は困難とみられる。

その理由は第一に、これまでに多発した技術的なトラブルからみて、完成後の点検・メンテナンスに重大な懸念があるためだ。しかも見通しが不確か不透明なのに、超巨額の国費が費やされる。再処理工場が完成し約四〇年稼働し続けたとして、総事業費は一三・九兆円超に上る、と経産省の認可法人「使用済燃料再処理機構」は試算する。国民への負担は計り知れない。

加えて再処理の際に生じる核燃料・プルトニウムの保有が増えることに、国際的な批判が高まるのも避けられそうにない。

政府はこれらのハードルをどう乗り切ろうというのか、責任逃れの問題先送りをいつまで続けるのか――。核燃料サイクル計画に見切りをつけるべき時である。

だが、日本政府はエネルギー基本計画で、二〇三〇年度の電源構成に占める原発の割合を「二〇～二二％」とする二〇一五年六月以来の目標をなおも掲げ続ける。世論調査の全てで人々の過半数が原発に不安・不信を表明し、再稼働に同意していないにもかかわらずである。政権は立ち往生したまま、つまり自己決定できないまま一向に動かない。

この原発政策の「化石化」を原発事業の観点から、どうみるか。

原発の開発・製造・基地建設には巨大な装置産業の基盤が要る。福島第一原発事故の場合、日本最大の電力会社で同原発を建設・運営した東京電力が事故の第一責任者であることは言うまでもない。原発を手掛ける日本の電力会社は東電を筆頭に計一〇社に上る。

プルサーマル式原発を建設中の電源開発を除き、いずれも国が定めた地域に電力を供給・販売する地域独占的企業である。民営企業とされるが、実態は担当地域で無競争の状態のまま、二〇一六年四月からの電力の小売り完全自由化まで地域に君臨した。

これら電力各社が発注する原子炉や電子機器、燃料メーカー、建屋の設計・建設は、どこが担っているのか。ここに政府と結び付く原子力ムラの政官業複合体の「業」の中核部分がある。

原子炉をとると、事故を起こした東電福島第一の場合、1～6号機のうち1号機は米ゼネラル・

エレクトリック（ＧＥ）、２号機がＧＥと東芝、３号機東芝、４号機日立製作所、５号機東芝、６号機ＧＥおよび東芝の製造となっている。いずれも米国と日本を代表する機器メーカーだ。

関連メーカーのすそ野は、視界を超えて広がる。原子炉の心臓部とされる圧力容器や周辺機器は日本製鋼所、原子炉で使われる核燃料体やペレットは日立、東芝、ＧＥの合弁会社が手掛ける。

原子炉建屋の建設は、大手ゼネコン五社（鹿島建設、大林組、大成建設、竹中工務店、清水建設）の独壇場で、傘下に無数の下請け、孫請け業者がいる。

この巨大産業を国策として国が方向性を決めて支え、推進する構図だ。

官の原発関連機関も、幅広い。いずれも所管省庁の縦型組織だ。

経済産業省のエネルギー政策を所管する資源エネルギー庁、検査業務を担当する独立行政法人の原子力安全基盤機構や総合エネルギー調査会原子力部会。原子力政策の基本を定める内閣府の原子力委員会、環境省が福島第一原発事故後に設立した、原子力安全規制を担う原子力規制委員会、文部科学省が所管する国立研究開発法人の日本原子力研究開発機構などと、ひしめく。

業界団体や法人となると、百花繚乱《りょうらん》だ。それらは、原子力ムラの悪名高い日本原子力産業協会、日本原子力技術協会、国際原子力開発、核燃料サイクルの商業利用を目的に設立されたウラン濃縮や使用済み核燃料の再処理を行う株式会社、日本原燃、電力会社一〇社が運営する電気事業連合会、電力中央研究所等々。このほかに関係する公益法人は、数え切れないほどだ。いずれもトップや幹部に所管省庁や電力会社から天下る。

このような膨大なネットワークが、長い歳月をかけ全国に根を張っていった。日本の政権が原発稼働の旗を下ろさないのも、「原子力ムラ」と呼ばれるネットワーク化された強固な利益共同体が背後にいるからだ。ムラは隠然と勢力を振るい、有力政治家の一角もその中に誘い込まれる。

技術崇拝で固まる原発ムラ

原子力ムラの住人たちのメンタリティは、容易に想像がつく。自分たちの利益にかなう原発技術に対する一種の信仰だ。原発はカネをもたらす〝お恵み様〟であり、大切にしなければならない。この信念が凝り固まって信仰に変質する。ムラの住人たちの厚い信仰、それは「技術崇拝」である。

こうしたムラ人たちの技術崇拝によって、原発の再稼働と核燃料サイクル政策が成算のないまま推進される。だが、ムラ人たちはむろん、原子力を人間社会の「破壊」に使ってもよいと考えているわけではない。

単純に、原発技術を自分たちの〝お恵み〟と崇めているのだ。実質は権益崇拝にほかならない。

こうしてみると、技術自体は中立だが、関与者や運用者によって善《よ》くも悪《あ》しくも価値が変転することが分かる。最新技術の発見と進歩は、研究者や技術者にとって喜びと幸福の源泉に違いない。

しかし、それが商用化され、利益を生み出していくと、権益構造が形成されていく。半面、商用化の進行に伴い、安全性の問題発生や周辺社会への不安など負の影響が不可避的に生じる。だが、事業の軌道修正は容易にできない。たとい政治が修正を試みても、すでにでき上がった利益共同体の抵抗によって、大掛かりな修正ほど困難を増す。

福島第一原発事故が示したように重大な災害を引き起こしても、政治が方向転換できずに思考停止し、原発の再稼働の機会を性懲りなく窺う、現状のような事態が容易に生じうる。現状を変えようとしない〝改革抵抗派〟が声高に主張し、政府を突き動かす。

技術の善し悪しは、その運用次第で決まるが、原発のように一部の原発ムラ勢力が技術崇拝に凝り固まって政治力を行使する現実に、われわれはもっと注意しなければならない。本来なら、これを重大な政治問題として国民の間に批判や抗議の火が燃え広がるのが民主主義社会だ。

そうするためには、真実が明かされる情報公開や優れた監視・報道活動の持続、粘り強い国会論議、国民に広がる関心などが必要だが、それが十分でない、もどかしい状況がある。

技術を行使する主体はあくまで人間だ。人間の精神が、技術の使い途と発展方向を決めるはずである。だが、その精神を強固な技術崇拝の念が支配すると、技術はみるみる悪の道にはまるのは必至だ。権力を持つ者が、技術を支配のツールとみなしているためだ。この恐るべき「技術崇拝」が、現代の悪魔的宗教と化しているのではないか。

技術パワーvs.内なるパワー

ＡＩの急進化で人間と技術の関係は、この先どうなるか、に話を戻そう。技術崇拝の新宗教がパンデミックとなり、人間がＡＩに頼って依存症となり従属してしまうのか。それとも人間がＡＩパワーをさらに伸ばし活用して、共存のパートナー関係を維持するのか。

技術の正しい使い方を決めるのは、人間の価値判断である。人間の脳の、知性と感性の統合機能がＡＩに勝っていることを自覚すれば、ＡＩに支配されることはない。正しい答は、ＡＩは決して人間の脳の機能を凌駕できない。どんなに優れたＡＩアバターロボットでさえ決して人間の統合的な心身機能を凌げない。

先に、ＡＩ棋士が将棋や囲碁で人間のプロを打ち負かす水準になった現実を指摘した。スーパーコンピューターやその先を行く量子コンピューターは、計算・ロジック能力などをさらに途方もなく拡大していくだろう。脳の一部機能に関する限り、ＡＩが次々に人間を凌いでいくのは時間の問題だ。

だが、ＡＩは決して人間の統合的機能を再現できない。人間の脳の働きを、一部を除けば取って代われない。

理由は、三つある。第一に、ＡＩは人間の内面世界の複雑な心の働きを実現できないからだ。

ＡＩは想像力がない。思いのままに吹く風のような自由な精神を持てない。詩や小説は形は整えるが、深くは書けない。

決まりきった課題を専門的に解決できても、経験に裏打ちされた枠にとらわれない自由自在な思考や連想ができない。記憶力、計算能力、推理力などはあっても、感情がないから喜びや悲しみ、幸せ、憂うつを感じない。それらしくは表現するが、実際には感覚の五感を通じての美しさや香りやおいしさや優しい声が分からない。心の微妙な働きがない。ＡＩの機能は、人間の経験から離れ、専門化された機能に限られる。

ＡＩロボットの恋人が、一緒に暮らしているとしよう。癒しの範囲は広がり、本物の恋人らしく振る舞うが、あくまでパートナーのパターン的表現をした機械の代用に過ぎない。

まず、返ってくる言葉は、限られている。一定の癒し効果は得られても、それ以上に深まることなく、変化せずに同じ水準にとどまる。均質で決まりきった反応は得られるが、それでおしまいだ。

ＡＩが人間に代われない理由の第二に、ＡＩには成長がない。ＡＩは技術が更新されない限り、自体は成長しない。自己成長がなく、気まぐれや折々の好みのような、日々の多様な変化もない。恋人のはずのＡＩは生きた体でないから、特別にプログラミングされてなければセックスもできないし、そのプロセスもない。人間側はＡＩ人形を相手に勝手に想像して夢中になるほかない。恋をしたとしても、片思いの恋でしかない。

理由の第三に、ＡＩには心の共感がない。人間は共感がなければ、相互の理解と信頼は生まれず、友情も育たない。人間とＡＩロボットとの共生関係は、共感がないために反発もない。ロボットが示すのは、決まったプログラムに沿ったマシンの反応でしかない。

それは孤独社会の癒しの一つにはなるかもしれないが、十分な愛情・友情関係には発展しえない。

意識を持つAIマシン

ＡＩロボットとの最上の共生関係は、ＡＩが心を持った「人間並み」に進化することだ、と仮定してみよう。

では、ＡＩが究極の技術進化を遂げ、人間そっくりのＡＩロボットアバターをつくることは可能か——。

米マサチューセッツ工科大学（ＭＩＴ）や東京大学の研究によると、「人間の意識を持つＡＩマシン」は、目下、開発途上にあり、今世紀半ばまでに実現が期待できるという（注30）。そのコンセプトは、人間の記憶や意識をコンピューターにアップロードすることだ。それが可能になれば、人間の不死、永遠の命も手に入るという。

渡辺正峰・東京大学大学院准教授が説く実現への開発プロセスは、三ステップある。まず、スーパーコンピューターを使ったニュートラルな意識を備えたマシンの開発だ。このためには、たとえば死後のヒトの脳をコピーし、脳の配線構造をマシンに構築する。この〝赤ちゃん脳〟を持ったマシンに、動画をみせたりして学習させる。

次に、人間とマシンの意識を一体化する。超高密度の情報を読み書きできるＢＭＩ（ブレーン・マシン・インターフェイス）を右脳と左脳の間に挟み込み、人間の右脳とマシンの左脳、人間の左脳とマシンの右脳を接続する。センサーで脳とマシンの神経接続を読み取ることで、脳とマシンの意識の一体化を確認する。

さらにステップ三で、記憶をマシンに転送する。はじめに大脳皮質に海馬から記憶が移る仕組みをマシン上に再現する。次いで脳とマシンを長期間接続し、海馬にある記憶を転送する。接続が長期化することで、多くの記憶がマシンに移され、マシンの中の意識が本物の自分自身に近付いていくはずだ。

渡辺氏自身が週刊誌『アエラ』に語ったところによると、二〇年以内に自らの脳とスパコンを接続し、スパコンの中で意識の永遠化を目指す、と意気軒高だ（注31）。この最新の研究成果が示すことは、人類の進化の過程で作られた複雑怪奇な人間の圧倒的な存在感だ。死後のヒトの配線構造の完全なコピーは現時点ではなお不可能に近い。いまはせいぜいマウスと機械の視覚的意識の一体化に向けた実験の段階である。

各種実験に成功して人間に実用化された場合人類の夢見た「永遠の命」は果たして実現するの

か。

仮に人間の脳の判断スピードを持つスパコンが現れたとして、人間の意識がスパコン内に転送できたとしても、その意識は肉体を持たないから、マシンの中に閉じ込められることになる。現実社会で活動するには、人間の肉体機能を備えたロボットアバターを作り出す必要がある。

ごく粗い未熟な意識を持つＡＩマシンまでは作れるかもしれない。が、その先になると結局はフランケンシュタインと同様、小説の中での誕生になるのではないか。もし仮にクローンの人間をつくって意識を持ったとしても、模造品でしかなく、アイデンティティは持ちえず、自分自身という自覚から遠いのではないか。偽りの人生になるのではないか。

とどのつまり、人間の脳と肉体の機能は、ＡＩがどれほど進化しても取って代われないほど高度で精妙なのである。

人間とＡＩの関係が示すものは、結局、人間存在の置き替えできない価値であろう。ＡＩロボットは大量に複製できるが、人間はコピーできない。ここに重要な相違があろう。

人間は個人個人がそれぞれに独自性・固有の価値性がある。この点で、「あなたもわたしも世界で二人といない」ごく稀少な存在であるわけだ。だから他人も自分も大事にしなければ、という個人尊重の思想にも行き着く。

ここで言う個々の人間の価値とは、経済価値を成り立たせる「交換価値」を意味しない。稀少な存在性から成る「稀少価値」を指し示す。

ということは、地球上の人類の一人一人が本来、固有の潜在能力や才能、背景、特性を持つゆえに、それぞれが「独自に価値ある人間」とみなされるべきことを意味する。一人一人が本来、バラバラで一律一様ではない「個別存在」としての価値である。

だが、ＡＩの恐ろしさは使いようによって国家やテロリストの手で個人の自由を奪うツールに変わりうる「他律性」にある。ＡＩを使ったプロファイリング（人物解析）に、まず要注意である。

二〇一六年秋の米大統領選。トランプ陣営からデジタル工作を請け負った米コンサルタント会社が旧フェイスブック（ＦＢ、現メタ）から有権者の個人情報を分析、ＦＢなどＳＮＳでフェイクニュースや政治広告を配信して、トランプ候補に肩入れした疑いが浮上した。

画面の「いいね！」表示がカギだ。これをクリックすると、ＡＩプロファイリングがアルゴリズムで解析する。すると利用者の性別、白人か黒人かの人種、既婚か未婚か、年代、収入、階層、支持政党をかなりの確率で割り出せる。このデータをもとに、「どんな働きかけが有効か」が分かり、政治操作に利用した疑いである。

ウェブの閲覧履歴などからも、利用者の趣味や好み、消費の傾向、健康状態、精神・心理動向、収入程度、仕事の種類、満足度、知識レベル——などをアルゴリズムで自動的に解析する。その結果を大統領選で有利に生かしたのだ。

ＡＩは、このように投票行為を操作し、トランプ支持を勢い付けたのである。いまやアルゴリズムによるプロファイリングの精度は急速に増した。他方、個人情報は日ごとに集積の度合いを増す。

日本国内では、リクルートキャリア社が、就活サイト「リクナビ」に登録した学生の企業訪問・行動履歴や企業側情報をＡＩでプロファイリングした問題が、二〇一九年一二月に浮上した。リクナビを利用する学生の「内定辞退率」を予測して企業に販売していた問題だ。

リクルートキャリアは「学生からはリクナビ登録時に提示するプライバシーポリシーへの同意をもって、データの提供について同意を得ていた」などと弁明したが、内実は「第三者への個人情報提供に関する文言」が抜けていたことが分かった。八〇〇〇人近い学生の個人情報が同意を得ないままトヨタ、京セラ、ＹＫＫなど三五社に売られていた。リクナビは「業界最大級の情報であなたの就活をサポート！」と学生を誘って評判を呼んだ。だが、学生たちは知らぬ間に個人情報を就活先に渡され、企業に選別されていたのである。

こうした状況をみると、ＡＩによる個人データ悪用が、政経分野で広がっている実態が分かる。とりわけ驚くべきは有権者の投票を操る米大統領選の不正だ。これが海外のロシアからとみられるサイバー攻撃とあいまって、フェイクニュースが相次いでスマホやタブレット上に出回り、トランプ大統領誕生を後押しした。民主主義の根本が、脅かされたのである。ＡＩと人権の問題に取り組む山本龍彦・慶応大法科大学院教授は「ＡＩ時代には政治的な自己決定権をどう保障するかが最も重要な課題になる」と指摘する（毎日新聞二〇二二年三月一八日付）。

ＳＮＳがフェイクニュースを配信するが、その元の個人のビッグデータを収集し、ＡＩで即刻処理しているのは、ＧＡＦＡをはじめとする巨大ＩＴだ。これらＩＴプラットフォームが個人データの掌握を通じて国家権力を凌ぐほどの情報支配力を持つ。これがＡＩ時代の新勢力図となった。個人の心の領域が国家ばかりかＩＴプラットフォームによって侵される状況が生まれている。

技術の善玉と悪玉

技術崇拝は、現代の強力な信仰と化した感がある。それは技術が、富と力《パワー》の源泉とみる確信から生じる。一国の経済力の基盤が、その技術レベルに見合うことは明らかだ。特定の最新技術の開発・導入が、しばしば国家の優先課題となるのも、それが経済発展への原動力を植え付けるからである。

このことは事業者や個人の場合にも、当てはまる。事業者は新技術を導入した商品やサービスで競争に勝ち、市場拡大を実現できる。技術に遅れた商品は、買われずに競争に敗れ、市場から消えていく。競争に勝ち抜くため、産業のイノベーション投資は巨額に上る。

個人の場合も、一定の分野で何らかの優れた技術情報を持てば、プロフェショナルとして優位な地位と富を築きやすい。職業的成功には、しばしば社会的要求に適合した技術が欠かせない。

図表12　富のNew Concept

時間	（自分の生きがい時間、自由時間、楽しい時間）
空間	（土地・家・気に入った場所、旅先の自由な開かれた空間）
収入・蓄え	（カネ／手元流動性と蓄え）
支えの基盤	（家族、友人、仲間、協力・支援者／団体、ペット）
技術	（誇れる or 気に入った自分の技術）
知識・教養	（役に立つ、誇れる知識、新しい知識、知恵となる教養）
大自然	（森林、山岳、海、湖、河川、渓谷、花々 etc.）
公共インフラ	（交通機関、病院、学校、図書館、公園、上下水道、トイレ etc.）

国家が認定する技能の諸資格は、就職や成功のベースともなる。

富と力を生む技術は、どの職業分野でも大事に尊重され、保護され、さらなる向上を求められるようになる。技術崇拝の土壌は、すでに社会全体に根付いているのである。

技術崇拝は、しかし、産業革命以後西欧から世界に拡大していった比較的新しい信仰だ。この信仰が、資本主義を劇的に発展させ、かつてない富と力をもたらした動力源となったのである。

技術崇拝は、この両方を生み出すゆえに、富・パワー崇拝につながり、一体化する。技術悪用の制御が難しいのは、この点にある。富とパワー崇拝を否定するのはなかなか困難だからだ。

核兵器を技術悪用の山頂にたとえれば、その広大な裾野に無数の技術が埋もれ、その多くが悪（破壊）

に用いられる。戦争やテロの指導者を突き動かす衝動は、支配衝動である。彼らの頭に描く戦争技術の活用法は、大量殺りくをはじめとする効果的破壊だ。その発想の頂点に核の使用がある。

技術の悪用を防ぐには、人の心を嵌っていた技術崇拝から目覚めさせる必要があるだろう。このことはすなわち、富・パワー崇拝に向かいかねない大いなる欲望とエネルギーを昇華させ、より高次の真・善・美に向かわせることにほかならない。心の働く方向の転換である。

だが、そのためには、「富」の再定義が必要となろう。世にいわれる富とはカネや不動産、株・債券などの保有をいうが、リアルな富はもっと多様で、自由で安全な社会・自然・教育環境とか公共インフラとも関わる、と考えられる（図表12）。この富の考察は、別途深めていきたい。

ここで技術が使い手と作り手によって善玉とも悪玉ともなる見本を示しておこう。ＡＩ導入によるイノベーションが最も期待されている分野の一つ、医療。この分野が技術が善玉とも悪玉ともなりうる技術の性質をよく示す。そこでは、ＡＩの応用が人類全ての幸福につながる「よい応用」と、悪魔の手先に変わる「悪い応用」に技術が二極化する。

「よい応用」ケースの典型例が、診断支援ＡＩ。病気の診断は通常、患者の訴える諸症状を分析し、その結果を既知の病気や患者の既往症などと結び付けて行う。尿・血液検査、レントゲン、ＣＴを含む各種検査と症状を合わせ、過去の症例と比較して医師が判断する。

その際、ＡＩが病気の診断を補助する形で、正確で詳細なデータを迅速に提供する。医師がみつけられない病気を見抜き、治療方針の決定を左右する重要な裏方役を務める。

その威力は、とりわけ画像診断で発揮される。放射線診断では、一つの検査で数十枚から数百枚もの画像をチェックして小さな病変部位をみつけ出す。こうして医師がみつけられなかった特殊な白血病や、がんなどの性質、進行状態を見抜く。ＡＩに任せれば一回分のチェックで済ませられるため、ダブルチェックやトリプルチェックの手間も省かれる。お陰で患者と医療現場の負担は大きく軽減される。

ＡＩ診断は一般の人々のヘルスケアにも応用できる。日々使うスマートフォンでも適用が広がる。たとえば腕に付けたiPhoneのアップル・ウォッチ。「マインドフルネス」表示をクリックすると、「静かに自分の呼吸に意識を向けましょう」の文字が現れ、「吸って吐いて」と深呼吸を求めてくる。一分のマインドフル時間を終えると、心拍数も表示される。利用してみるとたしかに気分が落ち着いてきた感がある。

「血中酸素ウェルネス」も付いている。トランプ米大統領（当時）は、コロナ禍でよく血中酸素を測り、「ＯＫだ」と結果を発表して健康ぶりを誇示していた。このように、ＡＩがスマホ上に健康状態をいつでもリアルタイムで知らせるようになった。

だが、医療技術の怖い悪用例も現れた。

医薬品の開発ＡＩは、生物化学（ＢＣ）兵器の毒性強化にも役立つ。二〇二二年三月に英科学誌に発表された研究結果によると、医薬品開発ＡＩを悪用すれば、六時間で四万もの致死性の分子を有害物質などから生成できることが分かった。米ノースカロライナ州の企業コラボレーションズ・ファーマシューティカルズの研究チームが明らかにした。

創薬で使うＡＩは、ＢＣ兵器の開発目的にも利用できる。ＡＩが開発する新薬が「毒にも薬にもなる」ことが証明された。

毒薬の使用は、政治の表舞台で公然と起きている。北朝鮮の金正恩総書記の異母兄・金正男（キム・ジョンナム）が二〇一七年にマレーシアのクアラルンプール国際空港で暗殺された事件。通行人にまぎれた若い女性二人に襲われ、顔面に猛毒の神経剤ＶＸを塗られ、毒殺された。ＡＩを使って生成された致死性分子の中には、このＶＸもある。

国際的な生物兵器及び化学兵器禁止条約で使用を禁じられているが、北朝鮮では国家が開発を支援し、政敵の暗殺に使ったことは疑いない。こうした開発技術は高レベルで個人や企業による単独開発は容易でないが、国家や軍隊組織なら、作ることも使うことも可能だ。ロシアの暗殺者がよく使う神経剤ノビチョクは、旧ソ連時代に開発された。

ＡＩが作成した致死性分子には、既存の毒物には類似点がほとんどないものやＶＸより毒性の強いものがあり、国際的な監視リスト外の相当な危険物質と言える。幾つかの毒物は既存のどのＢＣ兵器よりも毒性の点数が高いとされる。ロシアのウクライナ侵攻後の新冷戦下で、これらを使った新ＢＣ兵器が使われる可能性が一段と強まった。

医療品開発に用いられるＡＩは、本来は標的とした毒性を弱める分子を探索するように設計されている。しかし現実は、悪用を図る国家が、ＡＩを働かせて毒性を強めた化学兵器を実用化する恐れが出てきた。この恐れは、ロシアのウクライナ侵攻で現実化する可能性が高まった。ウクライナ戦争は、ドローンなどでＡＩの絶大な効果を証明し、ＡＩへの依存性を決定的に強めたからである。

戦争の性質変える

ＡＩが戦争の性質を変えたことにも触れておこう。通常戦争なら兵力に劣るウクライナに勝ち目はなかった。ロシアの侵攻は、戦争の性質を決定的に変えた。守勢に立たされたウクライナが、最先端のＩＴ技術で対抗し、米欧の軍事支援を得て押し戻し、持ちこたえた。数で劣る航空機や戦車などの軍事装備と兵員数のハード面で、ウクライナは西側の支援なしではロシアに太刀打ちできない。

ロシアの侵攻を挫いた軍事技術の主役が、ＡＩが操るＩＴ兵器だ。ウクライナ軍の二三年の反攻失敗後、戦局がロシア優位に傾く中、ウクライナはＩＴ兵器活用で状況打開を図る。空ではＡＩを使ったドローン、陸では相手の通信網を分断したりフェイク情報で混乱させるＳＮＳ、海外からもサイバー攻撃を操るＩＴ義勇兵が参戦した。混乱したロシアは、当初の主目標だったウクライナ首都キーウ（キエフ）の制圧に失敗、撤退を余儀なくされた。

戦車を繰り出し、塹壕に立てこもる二〇世紀型地上戦の一方、ドローンが飛行するＩＴ戦争の風景が広がった。その象徴的なシーンを抽出してみよう。

フェイク情報・ニセ画像の拡散工作は、数年前まではむしろロシアのほうが進んでいた。サイバー攻撃にかけては世界のリード役であった。

二〇一六年の米大統領選では、トランプと争ったヒラリー・クリントンを攻撃するフェイク情報をソーシャルメディアに盛んに発信したことが判明した。二〇一三年に設立されたロシア政府系企業「インターネット・リサーチ・エージェンシー（ＩＲＡ）」がＳＮＳで米選挙民向けにサイバー工作を開始。ＳＮＳに大量投稿したり、実在する米国市民の社会保障番号を使って多数のアカウントを作った。そこからフェイク情報を大規模に発信し、政治集会を呼びかけた。

ウクライナ侵攻直後に、ウクライナのゼレンスキー大統領が投降を呼びかけるニセ動画が出回る。ＡＩに本者のデータを学習させ、本者にそっくりの動画、音声を合成させ、別の人物の骨格に乗せたものだ。が、よくみると首が長く体格がほっそりしてニセ者と分かる。

ロシアのフェイク情報工作は、一九五四年に旧ソ連に設立されたＫＧＢ（情報機関・秘密警察）の前身組織に遡る。そこでニセ情報を扱う専門部署が設けられ、以後、東西冷戦時代に暗躍した。ロシアはフェイク情報の先達者であり、ねつ造情報による世論操作はお家芸だ。

ウクライナ侵攻の前日、ロシア国防省系メディア「ズベズダ」はある動画を流した。舞台は親ロシア派が支配するウクライナ東部ドネツク州。ウクライナ軍ドローンが親ロ派のメディア撮影クルー近くに落ち、爆発してクルーがあたふたと逃げ、身を隠す映像だ。ところがドローンの飛行物体は通常の落下スピードなら映るはずなのに映っていない。このあと親ロ派武装勢力のメディアが同じ場所、同じ時刻で撮影した映像を流す。そこにはドローンの爆発前の飛来音が入っている。が、西側が分析してみると、この飛来音は爆撃がフェイクであることを隠すためのフェイクであることが分かった。フェイクニュースを流して、直後のロシア側の侵攻開始を正当化しようとしたのは疑いない。

侵攻後の四月はじめ、ウクライナが奪還した首都キーウ（キエフ）近郊で、多数の民間人の遺体がみつかる。現地入りした日本を含む西側メディアは、路上に遺体が放置された写真や映像を伝えた。これに反発したロシア国防省は、報道を検証した結果、「遺体の腕が動いていた」とか「ロシア軍の撤退時に遺体はなかった、ウクライナ軍がフェイク工作をして遺体を置いた」などと主張。映像付きでロシア内外に発信したが、西側が再検証の結果、フェイクが確認された。

戦争の新しい性質が浮かび上がった形だ。フェイク情報によるサイバー戦やドローンなどＩＴ兵器において、少なくとも戦争初期はウクライナ側の威力がロシアを上回った。

二〇一四年当時、プーチン・ロシアはウクライナによるウクライナ東南部の親ロシア派住民への不当な圧迫・虐待を訴え、クリミア併合や武器供与を正当化した。その際、フェイク工作を盛んに行った。今回の侵攻時には「ネオナチによりジェノサイド（皆殺し）」が行われた、と、フェイク度をさらに高めてトーンを上げた。

対してウクライナは一四年のクリミア敗戦でロシアのサイバー攻撃の威力を目の当たりにして以降、軍事技術のＩＴ化に全力を挙げる。結果、今回の戦争ではサイバー攻撃のＩＴ情報戦で、ロシアを圧迫したばかりでない。ＳＮＳを使った国際的なサイバー支援も、ロシアを大混乱に陥らせた。戦争の性質が一変したのである。

ＩＴ国際参戦

国際的なＩＴ参戦も、戦争開始と同時に登場した。ウクライナ防衛のシンボルとなった。これもＡＩ進化の産物である。

ウクライナが募集する「ＩＴ軍団（IT Army of Ukraine）」に加わって、サイトをクリックする団体や個人が各国・地域で続出した。

ウクライナで戦わずに国外からＩＴ義勇軍として参戦する――。それは全く新しい戦争様式だった。指揮を執るのは、当時三一歳のウクライナ官僚・ミハイロ・フェドロフ副首相兼デジタル転換相。志願制のＩＴ軍の創設を発表したのは、二二年二月二四日にロシアのウクライナ侵攻が始まった三日後だ。無料メッセンジャーアプリ「テレグラム」を開設して、世界に参戦を呼びかけた。世界のＺ世代を味方に付けて情報戦に引き込む戦法だ。

軍事侵攻が始まってから、ウクライナ、ロシアの政府双方ともＳＮＳで発信を続けた。侵攻当時、情報戦はロシアが主導権を握ったかにみえた。侵攻前日には、大規模なサイバー攻撃を仕掛け、複数のウクライナ政府機関サイトをアクセス不能に陥れた。ウクライナの政府・軍隊はロシアのようなサイバー専門部隊を持たなかった。侵攻を受け、ゼレンスキー大統領は急きょ国内のITエンジニアや水面下のハッカーに結集と支援を求め、ウクライナのインターネット防衛とロシアへのサイバー攻撃に当てた。

侵攻にただちに反応したのは、外国のハッカー集団だ。国際ハッカー集団「アノニマス（匿名の意）」は侵攻直後、ロシアに宣戦布告し、侵攻二日後にはロシア大統領府のウェブサイトがダウンした。欧米ばかりでなく日本の匿名掲示板「5ちゃんねる」でも、協力を表明する反応が現れた。志願兵ボランティアには女性も多い。世界中のハッカーたちがIT軍に加わった。

外国勢のSNS参戦で、世界初のサイバー戦争は「ウクライナ優勢」に傾きだした。ハッカーによるサイバー攻撃、フェイク情報拡散は、中央集権的な上意下達によらない。それぞれがてんでんに行っているので国家の統制から外れ、ウクライナ政府さえ状況を把握していない。国際的なゲリラ戦が一斉に蜂起した形だ。

ここで現れてきた新種のサイバー戦争は、国家・軍隊の枠を超え、民間を主体に分散型でグローバルに広がる。

米テック企業が繰り出した対ロシア制裁も、新戦争におけるIT攻撃の一つだ。狙い撃ちされたのは、ロシア国営メディアでニュース専門の「RT（ロシア・トゥデイ）」と通信社「スプートニク」。双方ともフェイクニュース拡散の大元とされる。グーグルは両メディアのサイトをニュースやＹｏｕＴｕｂｅで表示することをやめ、広告システムからも外し、広告収入の途を絶った。ツイッター（現Ｘ）は双方のアカウントを削除した。フェイスブック（ＦＢ＝現メタ）や傘下のインスタグラムを含め、アクセスを制限した。対ロシア制裁には、マイクロソフトやアップル、アマゾンも加わる。

西側がロシアに下した経済制裁のうち最も強烈なダメージを与えたＳＷＩＦＴ（国際銀行間通信協会）からの排除。これもＡＩが動かすＩＴソフトを使って実行された。

ＳＷＩＦＴは「金融の核兵器」とも呼ばれ、銀行などが海外送金する際に利用する情報ネットワークで、排除されれば貿易代金の決済ができなくなる。これを米欧や日本が結束してウクライナを侵攻したロシアに対し実行したのだ。同時にロシア中央銀行の資産も凍結した。ロシアが米中央銀行ＦＲＢに預けた外貨準備のドル資金も引き出せなくなった。

これら前例のない規模と内容の金融制裁の全てが、ＡＩを駆使して動き出した。

ＡＩはしかし、戦争ばかりかフェイク情報の拡散で情報の性質をも一変させる。

二三年五月、米ワシントンのペンタゴン（米国防総省）近くで爆発が起きた、とフェイク画像がツイッターで拡散された。楽天グループを含む海外アカウントも次々に追随投稿し、ロシアの国営メディアも報じた。黒煙を上げる画像は、ＡＩを使ったフェイクニュースがますます巧妙化している現実を見せつけた。

生成ＡＩの急進化で、誰もが簡単に作れるようになる、「ディープフェイク大衆化」の危険性が高まった。フェイクニュースが爆発的に増えることになれば、真偽が分からないままニセや差別、偏向情報に民衆が踊らされる最悪の情報社会に陥る。

（注26）National Geographic　日本版二〇二〇年九月号
（注27）長谷佳明、古明地正俊共著『人工知能大全』（ＳＢ Ｃｒｅａｔｉｖｅ）
（注28）人間とそっくりの知能と感覚を備えた万能型ロボットを作るイメージで、実現すれば従来の専門機能型ＡＩを超える。
（注29）早い順に米国、ロシア（旧ソ連）、英国、フランス、中国の五か国が核兵器保有国として核兵器の不拡散条約（ＮＰＴ）に加盟。それ以外でインド、パキスタン、イスラエル、北朝鮮が核兵器を保有している。イランも製造間近の技術開発途上にあるとされる。
（注30）人間の「不死」が究極のテーマとされ、永遠の命が追究される。テクノロジーによる不死の実現法には、このほか死亡直後に遺体を凍結して保存し、未来の医療技術で解凍して蘇生させるクライオニクス（人体冷凍保存）があるという。
（注31）『ＡＥＲＡ』二〇二〇年七月二七日号

Ⅳ　生成ＡＩ時代

AIの風景変わる

ＡＩ時代の本格的幕開けを告げたのは、世界の注目を一斉に浴びた対話型生成ＡＩ「チャットＧＰＴ」の登場だ。米新興企業「オープンＡＩ」が二二年一一月に無料公開、利用者は翌年一月には一億人を超え、超スピードで世界に普及した。

利用者の質問に、自然な文章で即座に精度の高い回答を作成する生成ＡＩに、教育現場などがその扱いに戸惑い、大混乱したのも当然の成り行きであった。学生らが試験やレポートでコピペしても、回答の出来がいいために見抜くのは至難だからだ。

ここで人間とＡＩの関係に大きな問題が持ち上がった。人間がＡＩに支配されずにコントロールする関係をどう構築するか、という問題である。人間が急進化するＡＩに振り回されずに制御するための方法とは。

そのためのキーワードは「情報の真偽の識別」、「自己学習の継続」、「関係性の学習手法」の三つであろう。

まず、フェイク情報に振り回され、騙されないためには「真実か否か」を見分ける力が必要となる。前出の米ペンタゴン付近の爆発画像では、最初に投稿したとされる「メディアニュース」は極右の陰謀者とされる「Ｑアノン」について繰り返し投稿している。

図表13　ニューラルネットワークの構造図（3層完全接続）

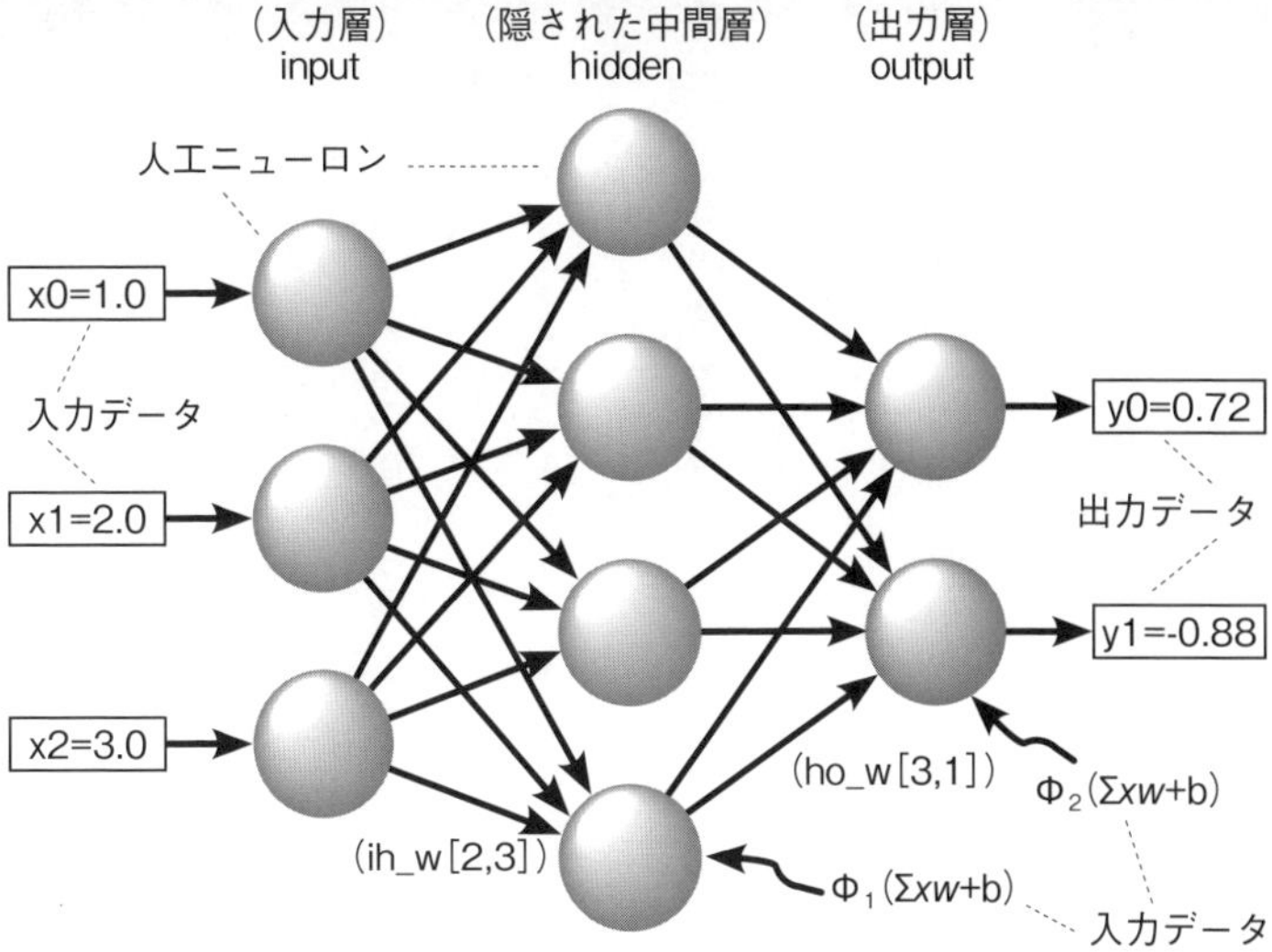

（Microsoftの画像を基に筆者作成）

真偽を見究めるには、情報の発信元を知る必要がある。信用のあるメディアとか、研究機関や教育機関、筆者名が明記されたライターが公表したものかどうか、だ。怪しげな発信元の驚嘆ネットニュースなら、疑ってかかった方が無難だろう。

一方、人が自ら学習を積み重ね、知識を増していく自己向上の大切さは万国共通の認識だ。生成ＡＩに支配されないためには、ＡＩ同様に人間も対話などを通じて学習し、日々、賢明になっていく必要がある。

人間がＡＩより優れているところは、むろん人間にしかない特性による。ＡＩの能力が特定の専門的なスキルで抜きん出るのに対し、人間は全体的な状況判断、とっさの柔軟な対応、創造的な発想に優れている。人間ならではの能力は、数一〇〇万年に及んだ人類の進化が蓄積してもたらした遺産だ。ＡＩが際立った能力を示すのは、その優れた人間能力の一部でしかない。

ＡＩは、物事に対する倫理性や公正性の判断についてもフェイク情報を含んで心もとない。人間としては、ＡＩに全面依存するのではなく、その優秀な特別機能を活用することこそが肝心だ。ＡＩとは上下の関係でなく、「わが友」型の連携・協力関係を築く。

他方、生成ＡＩの強みに見習う必要がある。生成ＡＩは、ウェブ情報を基に集めたビッグデータから深層学習（ディープラーニング）によって学習能力を深める仕組みを持つ。人間の頭脳を模した「ニューラルネットワーク」を築いて「大規模言語モデル（ＬＬＭ）」が使われ、言葉を関連づけて学習する（図表13）。利用者との対話からの学習も加わり、プログラム作成者すらも驚く想定以上の回答を作成する。

このＡＩの〝賢さの源泉〟となる学習力に着目し、逆に人間がＡＩから学び取るのである。自律的な学習を日々続け、認識力を深めていくシナリオも、ＡＩに支配されない選択肢だろう。ＡＩをパートナーに、その知見と学習力を取り入れる共存共栄のシナリオが欠かせない。

関係性で学習力強化

生成ＡＩから学ぶべきポイントのもう一つは、ＡＩの学習技術だ。ＡＩが名答を繰り出すのは、膨大な学習データを基に高度なアルゴリズムを利用して関係性を抽出し、認識を深めるからだ。ウェブから収集したデータベースから関係性を基に情報を集めて深層学習し、統計と確率の手法を用いて単語やフレーズの正しそうな組み合わせを作り、なめらかに回答を導き出す。「関係性」こそが、情報収集のカギになる。

このＡＩの〝奥の手〟を人間が取り入れる。知識と知恵のネットワークを「関係性を軸に」さらに深める学習手法を導入するのである。

これまで多分にランダムで偶然的だった物事の認識の仕方を関係性連結型のＡＩふうに改める。これが生成ＡＩが人間に示した学習法のメタファーだ。

イノベーションは、しばしばヒントとなったアイデアや事柄を組み合わせて新しい発見を得ることがきっかけとなる。スティーブ・ジョブズは考えている事柄を関連付けた「連結（Connection）」が発明を導く、とみなした。携帯電話、ｅメール、ネット検索、音楽、ゲームなどを一つのハンディなツールにまとめ、簡単に操れないかと考えた。

その結晶が二〇〇七年に登場したｉＰｈｏｎｅだ。「パソコンでは（マイクロソフトの）ゲーツに負けた」という無念の思いが、ジョブズを新しいイノベーションに駆り立てた。これがスマートフォン時代の幕を開ける。

ジョブズの発想のブレイクスルーは、関係性型思考がもたらした。このことから関係性を意識した学習法が、アイデアやヒントの閃きを得る道であることが分かる。

たとえば、朝食をリンゴ一個で済ませているとしよう。「なぜ、りんごはおいしく体にいいのか」という関心からリンゴの栄養素とおいしさの秘密を知っていき、「医食同源」の意味もはっきり分かってくる。関係性からリンゴに関する認識を深めていき、一層リンゴがおいしくなり、好きになる。

関係性とは自分にとっての関心の程度だ。関心が高いほど、その対象の知識を得て、対応と解決の仕方も分かってくる。

この関係性を自己の学習法に導入するのである。ＡＩの自己学習力に対抗して、人間側も自己学習力を身に付けるのだ。

権力構造の変化

ＡＩ時代の到来と共に、社会の権力構造も変化した。最大の変化は巨大ＩＴ企業の勢力急拡大が国家権力を脅かすようになったことだ。

歴史的経験が示すように、ＡＩ技術の普及と共に、ＡＩ崇拝熱が高まり事業に成功した企業が繁栄するのは必至だ。問題は事業の成果がごく一握りの巨大ＩＴ企業に独り占めにされてしまうことだ。

成功の果実が広く社会に行き渡らない。富の生産・分配が一極集中型の経済構造となり、超強大化した経済パワーが、国家権力の基盤を揺るがすようになったのである。

台頭するＡＩ権力は、利便性を武器にＩＴプラットフォームを握り、情報支配力と経済権力の一層の拡大を企てる。その独占的弊害を排除しようと欧米日などの政府は対抗姿勢を強める。各国当局が規制強化せざるを得ないほど、その脅威が切迫したのだ。

米バイデン政権は、ＳＮＳプラットフォームや検索エンジン、ネット広告事業で競争を制限して独占的な利益を得るＧＡＦＡなどに監視の目を光らせる。米司法省や米連邦取引委員会（ＦＴＣ）が、反トラスト法（独占禁止法）違反かどうか、問題ごとに調べに乗り出す。

米司法省が二〇年一〇月にグーグルを反トラスト法違反容疑で提訴したのに続き、同年一二月にはＦＴＣとニューヨーク州など四八の州・地域の司法当局が、米フェイスブック（ＦＢ、現メタ）を反トラスト法違反の疑いで首都ワシントンの連邦地裁に提訴した。ＦＢが二〇一二年に写真投稿アプリ「インスタグラム」、一四年にメッセージアプリ「ワッツアップ」を買収したことに対し、強力なライバルに成長する前に取り込んだ競争制限的行為と断定、是正措置を求めた。

ＦＢの世界の月間利用者数は、二〇二二年時点で傘下のインスタグラムやワッツアップを含めると三二億人に上る。ＳＮＳの世界シェアで約七割を占める。無料サービスで得た膨大な利用者データから興味などに応じた「ターゲティング広告」を行うのが稼ぎの手法だ。

米議会や当局の警戒心が一挙に高まったのは、一六年にＦＢの八七〇〇万人分の個人情報が英コンサルタント会社に流出した事件だ。流出個人情報を使った虚偽情報が米大統領選に影響を与えた疑いが強まった。

米司法省が反トラスト法違反で提訴したグーグルのほうは、検索エンジンの世界シェアで九割に達する。スマホにネット検索技術を搭載する見返りにアップルなどのメーカーに巨額な対価を支払った行為などが、他社を競争から締め出していると問題視された。

グーグルはスマホOS（基本ソフト・アンドロイド）の世界シェアでも七割強のシェアを握る。端末メーカーが無料で組み込める形でOSを提供し、そのアプリをグーグルがひとまとめにして売り、削除不可能にしてアンドロイドに合致しない端末を契約で排除する。

このように市場支配力を強化して利益をむさぼり、消費者に弊害をもたらした、と米司法省は認定した。

欧州でもEUの欧州委員会がグーグルとアマゾンに対し、EU競争法違反で巨額の制裁金を課す。グーグルはこれを不服として法廷で係争中だ。米司法省とも全面的に争う構えをみせる。

GAFAのもう一つ、アマゾンの手法は異なる。通販の出店企業の販売履歴を利用して自社のプライベートブランドを開発・販売し、オリジナルふうにして儲ける。アップルはアプリ配信サイトで自社製品を優遇し、アプリ開発会社に高額な手数料（売上の三〇％、のちに一五％に減額）を課している手法が問題になった。

GAFAの各市場の独占的な力による空前の支配拡大に、各国規制当局が慌てて規制の斧で立ち向かう構図だ。

ＡＩ支配の副作用は、成功したＩＴ経営者にＡＩ崇拝をつのらせ、ＡＩ開発の躊躇なき推進を自己目的にしてしまうことだ。結果、その経営姿勢が人間とＡＩの関係性を巡る思想的・倫理的対決の火に油を注いでいくのは必至となる。

ＡＩ vs. 人間労働

生成ＡＩの台頭で人間の労働環境も大きく変わる。ＡＩが入り込む衝撃は強烈だ。人間の頭脳、手、足、目、耳、鼻、皮膚、爪などの身体機能が代替されていくことで、現場の作業者、管理者、エンジニア、専門家の多くが要らなくなる。他の職で自分に適し、収入も満足なところは容易にみつかりそうにない。

たとえば現行の自動車が全て無人の自動車運転車に置き替わったとしよう。すると、メーカーからディーラー、部品メーカー、修理業、レンタル業、タクシー業、運送業に至る自動車産業の全従業員の推定約五〇〇万人が、直接その影響を受ける。その数は日本の全就業労働者のおよそ一割にも上り、事業撤退や大量失業など経済全体への影響は計り知れない。

ＡＩ技術革新が起こす、この激しい経済・雇用への直撃を大いに緩和し、転業や転職環境を広く整えることが政治の新たな仕事となる。

しかし、技術革新期の歴史に照らすと、富者側の技術崇拝が時代をリードしていき、ＡＩが現業や管理分野の多くで労働の主役にのし上がる可能性が高い。それは痛みを伴う産業・雇用形態の劇変となる。ＡＩの威力は、政治権力者も魅惑する。為政者がＡＩを「支配のテクノロジー」としてＡＩ活用に走るリスクは常時ある。その結果は、ＡＩの負の影響を拡大する。

とはいえ、この社会大変動は混乱をきわめても、おそらくＡＩ導入を進める資本側を頓挫させることにはならないだろう。歴史に照らしても、産業革命以来、機械と技術の進歩が大量の失業者を生み、労働運動の激発を招いても、イノベーションは決して止まることなく資本制生産を再拡大してきたからだ。

石炭から石油へのエネルギー革命も、同様に大量の石炭労働者を解雇・整理して大労働争議を起こしたが、結局は収拾され断行された。これまで資本は、労使紛争を繰り返す中で利益追求を第一に労働を圧迫し、曲折を経ながらもその自己拡大衝動を保ってきた経緯がある。

ただし、ＡＩによる職場追放に対しては、労働側がアーティストなどフリーランスらの文化活動を加えたＡＩ抵抗運動が功を奏する可能性は大いにある。不利な立場のフリーランスらは、独自の文化発信力によってその影響力を行使するだろうからだ。

その場合の想像できる抵抗運動の内容とは、主にＡＩに仕事を奪われることに対してであろう。たとえば、ＡＩによる自動運転車の導入に、個人事業主のタクシー運転者から抗議の声が上がる。文筆や音楽の分野では、フリーランスの作家やライター、評論家、音楽家などからＡＩの関与した著作や作曲、評論に対し著作権法違反の訴えが次々に起こされる。

職を失い、生活の糧を絶たれ、自己表現の機会も奪われるとあって、フリーランスら個人事業主の必死の抗議は、国民の多くの心を揺さぶるのは間違いない。それは、新しい文化運動の形をとるだろう。

こういう人間とＡＩとの正面切った戦いが、やがて仕事の喪失やオリジナリティを巡って繰り広げられるのは必至だ。労働を巡る人間対ＡＩの戦いは、結局どうなるのか。

最もありうる対決のシナリオは、ＡＩが過去の多くの先端技術と同様、その技術革新性で消費を刺激し、消費者に低コストで利便性を与える一方、生活者を二極に分断してしまうことだろう。

二極分断とは、少数のＡＩテック関係者などを富ます一方、従来の労働者・管理者側が新しいＡＩマシンに置き換えられ、職を失うとか、転職がうまくいかないような事態だ。業種や企業、個人の収入・資産格差の拡大、それに伴う子どもの教育格差、機会格差の拡大を生む。これは大きな政治懸案となる。

他方で、囲碁や将棋の棋士、スポーツ選手や学識者、各種専門プロのように、仕事の性質によってはＡＩから学習して自らの実力と収入を上げる人間とＡＩとの共存共栄、Ｗｉｎ‐Ｗｉｎの関係も築ける。その場合、ＡＩは人間のプロとして学習するために欠かせない師であり、切磋琢磨するパートナーともなる。

このようにＡＩは、刺激・対立・分断・共生という多面的な影響を経済社会に及ぼし、新たな対応を迫り続ける。ＡＩの驚くべき能力とその影響を把握することが、第一の政治課題となる。

監視国家の現実

ＡＩは人間が開発した技術の頂点に立つだけに、国家権力がＡＩを使って国民監視を強めようとするのも不思議でない。独裁型政権権力者にとって反体制運動を未然に防ぐには、ＡＩの監視機能が欠かせないからだ。

スマートフォンを使った政府当局の監視体制モデルは、新型コロナの感染拡大に際し中国でほぼ確立されたと言ってよい。武漢のロックダウンは、これなくしては成しえなかった。司令塔のＡＩの指示を市民が端末のスマホで一斉に受け、これに従うという構図である。

二〇一九年春に中国の寧波を訪れた筆者は、帰途、新幹線で上海に行こうと鉄道駅の改札口を目指していた。だが、駅構内に入ると、まず手荷物検査が待っていた。空港と同様に、係員がバッグの中身を覗いて点検する。次いで公安警察が、入国管理検査と同様に、パスポートや切符を確認する。

監視カメラの下、ようやく前へ進むと、またも別の公安警察が現れ、検問を繰り返す。上海行き列車の切符には、筆者のパスポート番号と氏名が記されてある。航空チケットと同じ扱いで、鉄道も当局の厳重な監視下に置かれていることが分かる。同行の中国人に聞いたところ、政府要人のいる北京や経済中枢の上海方面の上り路線では、テロを警戒して公安警察の検問は二度行われる。地方行きの下り路線は一度で済むという。

当局が、庶民の乗り物の列車も空港と同様の警戒態勢を敷いているのである。見回すと、駅構内の至る所に監視カメラが設置されている。中国全土に全部で四億台以上設置されている、と英メディアは報じた。

こういう息苦しい監視体制だが、市民の間から不満や反発の声は不思議と聞こえてこない。もともとプライバシーがないに等しかった共産党政権の生活環境下で国家の統制に慣らされたせいであろう。むしろ「身の安全が守られていい」と歓迎する声が多く聞こえた。

実際、上海で旧市街の住宅街を歩いて観察していると、数年前までみたアパートの窓際の鉄格子が軒並み外されてある。「物騒ではないのか」と案内した中国人に訊くと、彼は建物に据えられた幾つもの監視カメラを指差し、「あれが、いま犯罪よけに役立っています」と自慢げに答えた。

この中国式統制への一般民衆の〝慣れ〟は恐ろしい。「言論や思想の自由は二の次、まずは自分たちの身の安全」「食べていくことが第一に重要、あとは二の次」と思っているのだ。これを「理解できる。安全安心が優先は当然」などと、賛同するわけにはいかない。

思想・言論・表現・結社の自由は、民主主義に絶対に欠かせない中核理念である。個人の表現活動の制限が例外的に許されるのは、特別な非常事態に限って時限立法でのみ、と考えるべきだ。

集団の利益は公益とは必ずしも一致しない。中国では「民衆の利益」と称して、政権が自らの利益を図る。中国の共産党指導部にとって、自分たちの政治権力への脅威は「国民の安全」を表看板に、早めに取り除いておかなければならない。テロ活動を未然に摘発することで、民衆の安全を守る、という論理がまかり通る。じつは自分たち共産党特権層の権益を守るため、という真の理由は隠される。中国の共産党員はじつに九千万人超に上り、なお増加傾向にある。彼らが社会の特権層としてＡＩを駆使して国民を監視状態に置き支配する。

支配層はテロ対策や新型コロナ感染対策を名目に、ＡＩによる監視・管理体制を強める。だが、この手法は必ずしも中国に限らない。権力ファーストの為政者や実業家でそれが可能なら、同じ手段を用いようとしてもおかしくない。民主主義社会においても、政治・行政や経済・企業領域で個々の権力者による行き過ぎた監視・抑圧は、あとを絶たない。ただしそれは、専制国家によるものとは性質、規模、方法が異なり影響力が違う。が、油断は禁物だ。

新型コロナパンデミックは、国家のＡＩをはじめとする最先端技術の取り組みにも一大変革を迫った。それは国家の最前線にある軍事技術を動揺させ、軍事技術のＡＩ化を促した。米国では国家事業としてのＡＩ化は、コロナを機に真っ先に軍事技術から始まった。

世界最強を誇る米軍では、とくに海軍の艦船がコロナ感染の打撃をたちまちにして受けた。二〇二〇年一月のクルーザー船「ダイヤモンド・プリンセス号」乗客の感染拡大が示したように、乗務員が狭い空間に閉じ込められる艦船は、感染が蔓延しやすい。

二〇年三月、米空母十一隻中、セオドア・ルーズベルトなど四隻に感染が広がり、最終的に総員四八〇〇人の四分の一に当たる約一二〇〇人の感染が確認された。ルーズベルト艦はグアムに緊急入港、感染検査を行い、患者の隔離措置をとった。この間、グアムに五五日間の滞留を余儀なくされる。米空母の活動マヒにつけ込み、中国の公船が尖閣諸島の領海に入って日本漁船を追い回すなど威かく行動を強めた。

こうした突発事態を受け、米ペンタゴンは、ＡＩの活用を軸に米艦隊を「無人化・新技術装備」に向け再編する方針を採用する。兵員依存のシステムでは、コロナウイルスにやられてしまう。人をＡＩロボットに替える新システムを急がなければならない。ＡＩにコントロールされたドローン偵察機やドローン爆撃機、無人潜水艦、無人艦船、無人戦車の導入を早める必要に迫られた。米中対立の新時代、コロナが各国の産業や生活と並び軍事システムにもＡＩ導入を相互に連鎖的に促してきたのである。

二〇年秋に起こったアルメニアとアゼルバイジャンの紛争地ナゴルノ・カラバフを巡る軍事衝突。ここで未来のＡＩ戦闘を予想させる事態が発生した。これがドローンを多用するウクライナ戦争のモデルとなる。トルコに支援されたアゼルバイジャン軍が自爆ＡＩドローン「(通称)カミカゼ」を使い、敵陣に潜むアルメニア兵士軍や戦車を上空から発見してピンポイントの集中攻撃を加えた。

「カミカゼ」はトルコが供給したＡＩの自律兵器。ＮＨＫ報道によると、アルメニア軍の戦車は四五〇台以上が自爆ドローンで破壊され、陣地に一〇〇〇人いた部隊がほぼ全滅した、と生き残りの兵が証言した。

このアルメニア軍の壊滅を受け、四四日間続いた戦闘はロシアの仲介で停戦合意に至る。AI兵器が戦闘を早期に終わらせたのである。

AIの軍事利用拡大に向けオースティン米国防長官は二一年七月、AI関連の研究開発に今後五年間に約一五億ドル（当時約一六五〇億円）を投じると表明した。アゼルバイジャンのAIドローンの実戦使用、中国のAI戦争への準備に対応した、「新しい戦闘法」への転換を目指した。オースティン長官は米議会が主催した国際会議で、AIの活用により「米軍の効率性、迅速性、即応性が飛躍的に高まる」と強調した。念頭に置くのは、中国の動きである。習近平指導部は二〇一五年に製造戦略「中国製造2025」でAI、半導体、ロボットなど先端技術に巨額の補助金を投じ、サイバー攻撃、無人兵器にAI活用を進める方針を明らかにした。米軍事専門家は二〇三〇年頃にはAI兵器の開発が進んで大規模な実戦配備が可能になる、と予測する。

一方、AI化は生活面でも進み、監視社会化のリスクが増す。将来、到来する可能性の最も高い社会の一つは、ジャック・アタリの言う「沈黙の超監視型社会」であろう。アタリによると、このような社会が、個人の健康状態をはじめとする領域に浸透しつつある。彼はその未来像を次のように描く――。

「ＧＡＦＡなどのデータを管理する企業と業務提携する保険会社は、冷蔵庫や腕時計から得られる個人データに基づいて決定される食物を食べない被保険者に対し、保険金の支払いを拒否するかもしれない」（注32）。

ジャック・アタリの予言する「超監視型社会」では、「監視する主体」に政府を直接、名指ししていない。「（政府に代わる）公的および私的な各種団体が個人を監視する」とし、「これらの団体は、個人の読書、音楽、映画の好み、思想、食べ物や飲み物の嗜好を把握しようとする」と警告する。ある意味、監視する側がみえにくいだけに不気味だ。

このような世界では、各人に合ったものをより多く売ろうとする販売目的もあるが、社会秩序の最適管理の狙いもある、とアタリは指摘する。この物静かなデジタル環境は、すでにみられるように、各人に自己を監視するように仕向ける。健康リスクを評価するため、ＡＩが推奨する食事メニューを自分に課す食習慣は、その先駆けだ。

「その結果、われわれは死という恐怖に怯えて人工物（ＡＩが教える食事）を食らう（物静かな）ロボットのような存在になるだろう」とアタリは言う。

結局、ＡＩに監視、操縦されて、人間は主体性を奪われ、奴隷のようになってしまうのか。そうあってはならないが、その危険なシグナルは、すでに日常生活に現れている。手元に持つスマートフォン。まずこれに問題がある。

スマホの危険な特性については後述するが、ひと言でいえばスマホは持つ過剰な情報と過剰な多機能で、人の注意を奪い、考えないように仕向けるツールである。そこにフェイク情報やデマ情報、誇張情報が次々にまぎれ込んで混乱させられ、冷静な判断がますます妨げられる。「考えない人」が増える結果、ＡＩ支配の監視社会ができやすくなる。なぜなら大勢が、司令塔のＡＩに従う反射人間になっているからだ。スマホの従者とならない心構えが、肝心要となる。
二〇三〇年の近未来――技術崇拝派 対 反崇拝・良識派の世界的な対立は、ＡＩの急進化と共に激しさを増すだろう。その対立・抗争は、しかし、生半可にはなるまい。監視社会化を巡る闘争、ＡＩに取って代わられる伝統産業の就業者、関連事業者の救済――このような産業政策を含む大規模な政治経済問題が、立ち現れてくるのは間違いない。

ＡＩは人間を支配するか

生成ＡＩの登場でＡＩを巡って繰り返し現れてくる問いがある。「人間は果たしてＡＩの奴隷になってしまうのか」という問いだ。

言い換えれば、「人間はＡＩに依存して支配されるようになり、従属してしまうのか」「肝心なことをＡＩ任せでいいのか」「意識を持ったＡＩに人間は征服されてしまうのではないか」という根源的不安の表明である。

しかし、人間の脳がＡＩの能力より全体的に劣り、支配されてしまうことはあり得ない、とみるのが妥当だ。計算能力や記憶能力のようなプログラミングされた一部機能では、ＡＩに敵わない。だが、ＡＩは人間が作って使うツールである。これが人間の肉体と意識を途方もなく機能的に超えるツールとなり、このツールに使われるようなことはあり得ない。

人間の脳とＡＩを比べてみよう。能力の違いは歴然としている。その違いは生い立ちからくる。数百万年に及ぶ進化がもたらした人間の脳の構造と複雑性は際立つ。推定一〇〇〇億個のニューロン（神経細胞）と、これにつながる何兆ものシナプス（接合部）で活動を続ける。対するＡＩは、デジタル回路とアルゴリズムを組み合わせた人為的能力に限定される。脳対ＡＩを比較すると、七つの顕著な相違がある。

第一に、脳の複雑性が人間らしい汎用能力をもたらす。多種多様に思い、悩み、考える思考と想像、喜びや美しさ、悲しみ、苦しみを感じる感覚を感情、これらを表現する言語機能と行動――これが人間の特長なのである。

ところが、ＡＩにこうした多機能の自由な思考や感情、想像力はない。あるのは特別のルールとアルゴリズムでプログラミングされた特殊な知能だ。生成ＡＩは、人間の記憶・認識機能を特別な学習法でモノまねし、その認識能力を即座に驚異的に示すが、人間の最先端の想像力や感性には及ばない。

第二に、人間の脳は、学習力や環境適応力の面で断然光る。人生経験の失敗や成功から学び、新しい状況に適応しようとして適応力を増す。これに対しＡＩは覚えたことしかやらないし、知らない新しい事態には対応できない。学習も最新のデータとかウエブ情報以外の重要情報を欠き、学習力のある専門家の持つ最新の情報を持たない。

第三に、脳の凄さは直観と創造力だ。ＡＩはデータとパターンを基盤に決まった答えを出すが、想像力を働かすことはできないので閃きや霊感に欠ける。最新の生成ＡＩをもってしても、ピカっと新しいアイデアを得たり、小説のユニークな物語を作り出すことは苦手だ。想像や直観がブレイクスルー型創造行為をもたらすが、これがＡＩには欠けている。ＡＩは創造活動のまねごとや二番煎じはできても、真にユニークな創作まではできない。

第四に、人間脳には感情がある。ＡＩは感情が分からず、微妙な感情表現ができない。喜怒哀楽を表さない人間が、もしもあなたの目の前に現れたら、あなたはきっと戸惑い、薄気味悪く感じるだろう。感情なき超特殊機能の持ち主、というのがＡＩの素顔である。

第五に脳の強みは、融通性・柔軟性だ。厄介な問題や危険に当面すれば、解決に向け、複数の選択肢を考えたりする。恐怖を感じたら逃げたり隠れたり、勇気をふるって対決する、といった切迫時の対応もその都度とっさに判断する。このフレクシィビリティが環境適応力を強めるが、ＡＩにはこれがない。

第六に脳は、意識を保有する。意識をもって日常生活を送り、仕事や遊びに集中する。将来のことも考える先行きの目標やプロセスを意識して、予定を作ったり時間を割り当てる。これが人間脳の進化した姿だ。

ＡＩにはこの日常の意識がない。人間の指示の入力に従って動くマシン、それも電力などエネルギーを人間脳より途方もなく消費するマシンにほかならない。

ＡＩは他動的で自ら意識して行動することはできない。つまり、自主的な目的意識がなく、内省とか内面生活というものがない。

第七が、人間脳の成長力だ。人間は自ら主体的に経験を選び、広げようとする。経験を積み重ねることで脳は学習し、成長し続ける。失敗と成功体験は脳に深い影響を与える。職業人がキャリアを積んで、プロフェッショナルとして自信をつけて成果を挙げていくのも、体験学習のメカニズムが働くせいだ。成長体験が、誇りと喜びをもたらす。

対してＡＩは、それ自体はマシンとして成長しない。決まった言われる仕事を繰り返すのみである。失敗体験があっても、主人であるエンジニアが原因を探り、対策の手を打つ。ＡＩは失敗を反省しないから、自らの成長の道を閉ざして動じない。人間脳は失敗や成功の経験を記憶し、そこから賢さ（適応力）を増す。対話型ＡＩは対話によって学習するが、人間の子どもの学習成長力には太刀打ちできない。

以上の七つの相違をみれば、人間の脳の卓越性はＡＩを上回る。ただし生成ＡＩはブレイクスルーを実現した。巧みな言語能力、文章整理力、立案・計画力、問題解決力を発揮する。その処理スピードと正確さが人間の通常の能力を遥かに凌駕し、多大な仕事を行い、目を奪うほどのパワーを発揮する。

だが、感情豊かで正義心に富み、超人間力を備えた鉄腕アトムのような圧倒的なＡＩロボットが、将来に現れることはないか。シンギュラリティに到達したＡＩに支配されてしまう可能性はあるか？

ありそうにない、と言えるだろう。人間の脳は、人間の手ではそのつくりをマネできないほど繊細かつ複雑にでき、意識を持っているからだ。

とはいえ、「人間はＡＩに支配されてしまうのか」という根本的な問いは、ＡＩの進化に伴い頻繁に繰り返されることだろう。

だが、ＡＩ支配への懸念は、むしろ一般市民の日常生活において深まっている、と考えられる。なぜなら、日々の多忙な生活や雑事に追われる一般市民の毎日の生活に、ＡＩが制御するスマートフォンが浸透しているからだ。ＡＩはすでにスマホなどを通じて庶民の生活に入り込み、「考えない人」に仕上げつつある。庶民が普段ＡＩのことを話題にするのは、ロボットの可愛い動作をみて驚く時くらいで、スマホにつながるＡＩの影響について想像もつかなかったのではないか。だが最近になって、生成ＡＩを使った詐欺や児童の性被害が発覚し、ＡＩへの不安がよぎるようになった。

ここで「問題ありＡＩ機能」を考えてみよう。

その中には、核や生物・化学兵器関連の軍事技術が真っ先に含まれるが、これをひとまず除外しておこう。

ＡＩのロボットなどへの活用が、どのような分野で問題含みとされ、社会的制約を必然的に受けるようになるか。その制約措置は、ＡＩの人間支配を排除し、「ＡＩとの対等共存」を目指す試み、といえる。ＡＩを人間がコントロールして活用する方向を調整する試みである。

真剣に検討される一つが、おそらく幼児・学童の教育分野であろう。そのＡＩ教育プログラムには、たとえば「人間の感性」の養育に関して親が子に寝る前に物語を語って聞かせるようにする、などの工夫が凝らされると思われる。

そのＡＩプログラム内容の是非が問われるようになる。あるいは人間が持つ文化的な要素——詩や小説、コンサート、絵画の感動や創作の喜びを育むプログラム。これをＡＩ作成プログラムにどう組み入れるか。山野を歩いて美しい花々を観察したり、可愛い動物と触れ合ったり、小さな植物を育てたりするプログラム。いずれも独特の工夫が要る。ＡＩはこうした企画立案の心強いアシスタントとして参加するが、プログラムが果たして問題なく適正かどうか、分野ごとに問われてこよう。

このあるべき「ＡＩ時代の教育」の核心は、人間の主体性の涵養だ。答えを上から教える教育から、生徒、受講者が問い、答えを教育者と共に探す教育への転換である。問いとその共同的追求が、柱となる。そのプロセスは地図を手に共に辿る旅に似ている。

ＡＩ時代は、ＡＩと人間との良好な関係の追求なしでは危うい。ＡＩの発達の前にいつしかＡＩ依存が高じて人間が主体性を失ってしまい、退化してしまう恐れがある。

放っておけば、人間が受け身側にいる間に、AIの利便力は増す一方だからだ。囲碁、将棋でそうなったように、多くの職業分野でAIのほうが人間の最強プロを打ちのめし、各業界に君臨しかねない。技術崇拝は一段と進み、AIを与える手（生産者）と使い手（プロバイダー）が握手して利益を共有しつつ、AIを武器に大衆（最終消費者）を虜《とりこ》にしかねない。大衆は、スマホやウェアラブルに慣らされ踊らされ、AIをむしろ喜んで生活に取り入れる可能性が高まる。

AIの使用で失われる「何か」は、直接経験から感動したり、静かな読書から得られる内面的価値だが、お金のように定量的に計れないから、失われる価値に人々の多くは気付きそうにない。「喪失の危険」に、ピンときそうにない。

スマホの魔術

AIの登場によって人々の生活風景が変わった。日常ツールとして携帯するスマートフォンが、AI時代を象徴する。そこでスマホを切り口に、AIと人間の危険な関係を浮き彫りにしてみよう。スマホには、固有の「七つの大罪」がある（図表14）。

利用者はまずスマホの頻繁な使用で「考える余裕のなさ」と「過剰な情報・広告」に直面し続ける。結果、次から次に出没するスマホの情報に振り回されるのは必然だ。それもフェイク情報を含め興味ある個別情報に反射的に反応しやすくなるから、過剰反応を起こしやすい。画面には

図表14　スマートフォン7つの大罪

- 気を散らす→注意を奪う→時間を奪う
- 極論が幅を利かす→感情を刺激する
  →中庸な意見を排除（注目されない）
  →Yes or No を迫る→分断化を促す
- 共感（同情）より憎悪・嫌悪（敵対）を誘発→分断化
- （プラットフォーマー、広告主は）ユーザーをコントロールして常時工作
  →アプリ、広告、利便性 etc. で操作→ユーザーのセルフコントロールの崩壊
- フェイクニュース、フェイク・誤情報、誇大情報が拡散
  →真がん不明状況がつくられる→疑心暗鬼社会
- 「無料」と「利便性」武器にスマホ拡散
  →スマホの自己増殖やまず
- 体制側がスマホを支配→　監視ツール化、誘導・扇動ツール化（「アラブの春」の逆手）

衝動的な言葉や画像があふれ相互にケミストリーを起こす。

このことは、ドナルド・トランプ米前大統領が自ら実証してみせた通りだ。次第にフェイク情報に一喜一憂する落ち着きのない〝スマホ操り人間〟が形成されてくる。

彼らは通常、動画やツイッターに親しむが、このことは映画に親しむこととは性質が異なる。どこが違うのか。

映画は、自分がそれをみようと選んで（自由意思で）時間と費用をかけて映画館にわざわざ足を運び、座席を指定し、長時間にわたり集中して楽しむ。楽しむ対象と時間と場所を主体的に選択する。

これに対しスマホは、メールを送受信したり、検索したり、といった機能選びまでは選択的、主体的だが、多くの使用時間を広告のシャワーを浴びながら「面白いものはないか」と受動的、習慣的にみて過ごす。映画は考えて選ぶが、スマホははじめからこれをみようと意図しない限り受け身で反射的に瞬時にみる。映画は長い時間、暗闇の中で集中して継続的に楽しむが、スマホは短い時間、断続的に

だ。早く楽しくみたり知り合いとやり取りするには、文字を追わない動画やＳＮＳが断然いい……となる。

精神の形成に影響の大きい読書を本とスマホで比べてみよう。スマホが登場して以来、紙の書籍、雑誌、新聞の売れ行きは世界中で減少するばかりだ。読書との違いが、どんな知的影響を及ぼすか。

読書とはある意味、著者との交流である。著述内容を読んで理解し、著者から得たものを自己の知識や感性に取り組む。そして新しい知見を得る。もっとも、実務ものやノウハウものは、単なる仕組みや商品・サービスの紹介、生き方や仕方を教える内容だから、精神形成への影響は実利面に限られる。

だが、詩や小説、ジャーナル、論考、解説となると、著者との交流が俄然、色濃くなる。読者は『風の又三郎』とか『罪と罰』を読んで作者と共感し、自分自身と重ね合わせてみる。気に入った小説の主人公には、思わず（自分とそっくり！）と感動したりする。著者に親しみと敬意を抱かないわけにはいかない。歳月をかけ考え抜いて書き上げた著者と読者が、心の交流と一致を果たしたのだ。

これに対しスマホで電子本を読む場合、本の内容は同じだが読書環境が異なる。読みたい本を専用アプリから取り出して読む場合を除けば、スマホの読書環境は通常よくない。周りが騒々しい上に広告がうるさく、落ち着かない。

無数のスマホ情報の多くは、勝手に押し寄せては通過していく。スマホで文字を追う者は、まるで〝追われる身〟のように先を急ぐ。落ち着き払って文字に向き合うことはない。流し読みするばかりだ。そもそもまともな読書の環境ではないのだ。

本とスマホの違いがもたらす知的影響の違いを突き詰めていくと、結局スマホ固有の「利便性」に行き着く。


ＡＩの端末、スマホはいまや利便性に富んだ情報サービスの最新最強のツールで、消費者の利用度は増す一方である。

スマホの普及で誰もが情報をその場でただちにやり取りできるようになった。情報の受け手と送り手の双方になれる双方向通信時代が来たのだ。新聞・テレビ時代の一方通行性はなくなった。多様な意見の交換、有用な情報の入手と共有、発信、コラボレーションがインターネットを通じたメール、検索、ＳＮＳによって可能になった。これは当初、情報流通を豊かにし、多様な知識を増やして民主主義を強化する機能と思われた。

しかし、その情報の影響力ゆえに、様相は変わってきた。憂慮すべきは、〝何でもあり〟の悪質な情報操作が可能になることだ。

権力者がフェイク情報をスマホに発信し、操作利用するのも時間の問題だった。政敵のありもしないニセ情報や中傷目的の歪曲した個人情報を画像付きで作ったり、作らせて流布する手が使われる。

その手法の典型例が、ドナルド・トランプのツイッターである。デジタル技術の急速な変革は、米国の政治を大きく変えた。何より大統領の発信力を変えた。二〇一七年一月に大統領に就任したトランプが、SNSのツイッター（現X）を駆使し、連日自在に発信して米国世論を巧みに操った。米国内だけでなく世界中の政府や関心を寄せる企業、個人がそのごく短い文言から成るツイートをみて反応し、一喜一憂した。

米大統領でツイッターを活用したのは史上初めてだ。ツイッターが生み、育てた大統領と言っても過言でない。その短信はかつての電報のように、メッセージ性がクリアに浮き立つ。一言一句のつぶやきが、SNSで瞬時に世界に向け拡散した。

米大統領の強力無比の権威を背にしているだけに、その刻々の発言力は途方もなく大きい。トランプ式発言は自分の見解を激しく押し出し、二者択一的に「敵か味方か」「右か左か」式に迫る手法をとった。ヒトラーの煽動法と同じだ。デジタル技術と結び付いた煽動スピーチの典型が、そこに認められる。

この現代版アジテーションのカラクリを次にみてみよう。そこに現代民主政治につきものの、支配されやすい大衆の脆弱性と民主主義の危機が浮かび上がる。

デジタル・アジテーション

ニューヨーク・タイムズ紙の調査によると、トランプのツイート内容のうち最多は「誰か、もしくは何かに対する攻撃」、次いで多いのが「称賛」、三番目に多いのが「民主党への攻撃」だ（調査対象は二〇一七年一月二〇日～一九年一〇月一五日までの間）。

実際、そのツイート内容は徹底的にけなし、攻撃するか、口を極めてほめちぎるケースがほとんどだ。民主党副大統領候補にカマラ・ハリスが決まった直後には「最も卑しい（人物）」とののしった。

大統領のツイートは、保守派、とくに白人層の共感を呼ぶ一方、反発も広げた。それは米国内で高まっていた保守対リベラル、多数派対マイノリティの対立抗争を煽る形をとった。結果、社会の分断化に拍車をかけた。

米国で各種ＳＮＳが普及し始めてから、わずか一〇年余りしか経っていない。ツイッターが二〇〇六年七月、フェイスブックが同年九月にサービスを開始、続いてアップルが画期的なスマホのｉＰｈｏｎｅを米国で発表したのが翌〇七年六月のことだ。

トランプはＳＮＳのツイッターの利用価値にいち早く目を付けた。先見の明があった。早速これを一六年の大統領選挙戦からフル活用する。大統領選で優勢を伝えられたヒラリー・クリントトン民主党候補を得票総数で下回りながらも、逆転勝利を収める絶大な支援ツールにしたのだ。

問題は、大統領が使用するにはツイッターが厄介すぎるツールであることだった。その政治的な利用を巡りツイッター社とトランプ大統領との角逐は、必然的な経過を遡った。

大統領の誇張、不当な攻撃、虚偽に対し、民主党やリベラル派の市民から大統領の言いたい放題にさせているツイッターへの批判が高まっていく。

二〇二〇年五月、ツイッター社は虚偽の説明や陰謀説を振りまくトランプ氏のツイートに対し「事実の確認を（Get the facts）」と呼びかける「注釈」を掲載した。読者をリンクでファクトチェックのページに誘導し、事実関係を確認できる仕組みだ。注釈の理由を「投稿が誤解される恐れがあるため」と説明した。

この注釈掲載は「トランプ氏の不適切な発言を野放しにしている」との批判を受けて設けられた。問題視されたトランプ・ツイートは、どんな内容だったか。カリフォルニア州が大統領選で導入する郵便投票方式について「詐欺まがい以下だ。投票箱が盗まれる」。さらに白人警官の暴行による黒人死亡事件への抗議デモに対し、「略奪が始まれば銃撃が始まる」ともツイートした。ツイッター社は、これをツイッターのルールに反し「暴力を賛美している」と警戒表示にした。

これに怒ったトランプ大統領は、ツイッターなどSNSの規制強化に向けた大統領令に署名。米通信品位法が定める、SNS会社に対し「ユーザーが投稿したコンテンツを過度に暴力的などの理由で削除しても法的責任は負わない」とした法的保護を剥奪した。「言論の自由」で成り立つＳＮＳに露骨に介入したのだ。

この騒動が意味するものは、進化したＡＩ技術が生んだＳＮＳの社会的威力である。その影響力の大きさを知った権力に、思うように悪用されるリスクが深まったということだ。前述した「技術は行使次第で善くも悪くもなる」との命題を試すような事件展開だったのである。ＳＮＳの日常的なツール化で、フェイク情報がまかり通るようになり、言論空間が歪められるようになる。

Ｑアノン事件

ＳＮＳ活用のフェイク情報の行き着いた先が、Ｑアノン事件だ。

二〇二〇年の米大統領選を前にネット上で拡散した「Ｑアノン」情報。「Ｑ」を名乗る正体不明の人物が、トランプ再選を狙い米民主党系をおとしめるフェイク情報を拡散させた。陰謀論を中心とするＱの情報は、匿名を意味するアノニマス（anonymous）とつなげて「Ｑアノン」と呼ばれた。

Ｑアノンが信奉者をみるみる広げ、ついに暴徒化して二一年一月、米連邦議会襲撃事件を引き起こす。が、その後もなお米共和党支持者の多くは「陰謀によるトランプの大統領選敗北」を信じた。

このＱアノン現象こそが、ネットを媒介とする現代情報流通の特徴だ（図表15）。ツイッターや

図表15　Qアノン現象の相関図

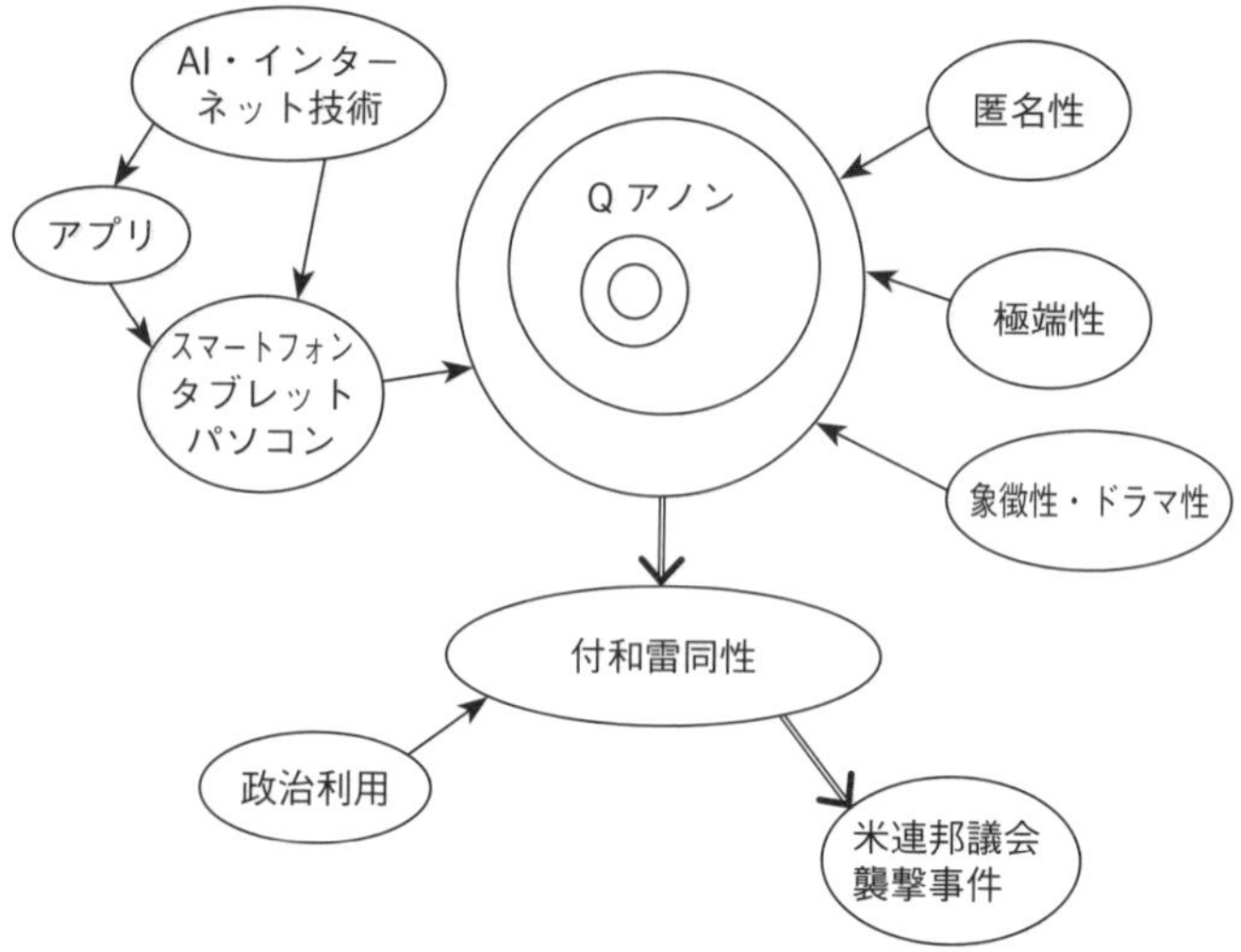

フェイスブック、ユーチューブ、メッセンジャー……SNSによる短信が、瞬く間にスマートフォン上に広がり、人々の感情に火を点けたのである。それは知性に訴える長い説明や紹介ではなかった。長文は読まれない、短ければ短いほど心に響く。画像だともっと拡散する。

言葉もワンワードで煽るのが、すこぶる効果的だ。「トランプは騙された！」と。そして「投票場は奴らに乗っ取られた！」式にだ。こうした単純化した決めつけ文句が、感情に訴える。相手は陰謀を企んだ「悪」であり、こちらはそれと戦う「善」だ。これは正義の聖なる戦いなのだ、と決めつける。

Qアノン現象には、コロナウイルスにも似た凄まじい感染力があった。その力の秘密は善と悪の戦いに劇化したドラマ性にあるだけでない。次なる戦いの「場」と「時」を示し、「象徴」

を印した。秘密のメッセージ、メタファー、Ｑの文字、さらにＱのＴシャツ――いでたちさえも象徴的に用いた。こうした一連の合図が、連邦議会襲撃に駆り立てたのである。

「Ｑアノン・シャーマン」と呼ばれたＱアノン信奉者で、連邦議会襲撃に加わって逮捕・起訴されたジェイコブ・アンソニー・チャンスリー被告が、その象徴的な姿の典型だろう。顔を赤・青・白で塗り分け、角の付いた毛皮の帽子をかぶって現場に現れた。

Ｑアノン信奉者の中核はキリスト教徒の極右系白人だ。米ライターのマット・アルトによると、Ｑアノンをネットの匿名掲示板に名乗って投稿した人たちの多くは、聖書を頻繁に引用した。善と悪の対立物語に話をまとめ、その終末的な世界観は、新約聖書に収められた聖ヨハネの「黙示録」に似ているため、敬虔なクリスチャンも魅了される傾向があったという（毎日新聞二〇二二年一月三一日付）。

さまざまな陰謀論が匿名掲示されたが、秘密結社が米民主党と結び付いて、われわれのドナルド・トランプを大統領の座から引きずり下ろした、という陰謀論が政治的な影響力を増した。こうしてＱアノンは米国を分断し、米政治を動かす大きな政治要因となったのだ。リベラル政治を嫌って米民主党を敵視し、ドナルド・トランプを偶像視する。それは一種の新しい宗教にほかならなかった。

その新しい宗教の布教法は、しかし、デジタル技術を使い革新的だった。彼らはネット上でＳＮＳで伝え合い、団結し、共に動いたのである。が、もう一つ、従来の宗教とは異なる奇妙な点があった。

それはQを名乗る者が匿名で、中心となる指導者がいないことである。正体不明の複数の人物が顔を隠して分散型で運動を広げ、大衆を動員したのである。SNSが生んだ指導者不明の新しい宗教、とも言える。

主張には明確な教義もない。謎めいたメタファーや象徴に散りばめられ、ゲーム感覚で勝手な解釈が可能だ。これが多くのノンポリの若者を引きつける理由だ。彼らは陰謀の謎解きゲームに魅了されたようにQアノンの旗の下に集まってきた。宝探しのように陰謀を探り当てる「ゲーム化」が起きた、と指摘する識者もいる（注33）。

いかにも二一世紀型の新大衆運動である。それがデジタル技術の基盤の上に先進民主主義国のアメリカで出現したところが要注意だ。今後、Qアノンの先例にならって、より強力でもっと人を引き付ける運動が、他の民主主義国に出てきても不思議でない。

それが再び米国の大統領選で起こる可能性も高い。大統領が強大な権限を持つ一方、国論が分断された状態で、Qアノン再現の土壌がたっぷり盛られてあるからだ。民主主義を脅かす新しいタイプのSNS活用型政治運動、とみなしてもいい。

Qアノンの手法を深掘りすると、現代デジタル情報社会に特有の分断型・短絡型のコミュニケーションが浮かび上がる。

もう一つの特徴は、この新しいタイプの運動にはカリスマ的な指導者がいないことだ。指導者は表舞台に現れずに隠れている。だが、大勢が偶像を作り出して崇めている外観だ。いわばＱアノンは「お祭りタイプの大衆宗教」とも言える。偶像はドナルド・トランプだったが、これは時代とともに差し替えられる。

お祭りは、住民が集まって神輿《みこし》を担いで行進する楽しみだ。Ｑアノン信奉者は匿名で意見を述べ、お祭りの日時を確かめると、そこに集まって気勢を上げる。

ここでＱアノンを爆発的に広めた装置が「匿名性」だ。政治への自分の本心を隠さずに語れるし、大勢の仲間も得られて心強い。匿名のお陰で、気楽につぶやき、集会に顔を出し、束になって主張もできる。暴走に至っても、責任を負わなくて済みそうだ。

この匿名性こそが、Ｑアノン勃興の秘訣である。

匿名性はデジタル技術のＳＮＳとスマホやタブレットが結び付くと、意見が瞬時に拡散する。スマホは、二〇一〇年代に世界中にみるみる普及した。それなしでは、Ｑアノンは決して広がらなかった。

次の爆発装置に、「極端性」が浮かび上がる。スマホの文言も、トランプと同様、「単純・ひと言」が特徴だ。

情報洪水の中、持ち歩くスマホやタブレットには、読むのに面倒でない短文が好まれる。「いいね！」に象徴される「ひと言でどう意見をやり取りするか」。

メッセージは、短く分かりやすいほどよい。情報の出し手も分かりにくい複雑な現象でも、ワンワードで説明するほうが受けるとあって、敢えて主張を単純化して発信する。

そうなると、ますますその傾向が強まり、断定的で極端な意見ほど、スマホ上を通りやすく拡散しやすくなる。こうしてネットの意見は極端から極端に振れやすくなり、極端論が横行する。

極論というのは、賛否二つある政治的社会的主張の一方を押し進めたものだ。したがってそれは、世論を分断する。あれかこれか、の二つのうちの一方だからである。

ここにネット世論の恐るべき風貌が現れる。そこから不可避的な社会問題が生じる。コミュニケーションの匿名性と言葉の極端性は、人を呼び込み付和雷同性を著しく増して社会を分断するためだ。

分断言語

デジタル技術はＡＩに司令され、その技術的やりとりは人間の判断に影響してくる。Ｑアノン運動でツールの操作に際し、自分の名を隠す「匿名性」からどんな影響が現れるか。それは集団行動に身を任せることを意味する。自分自身を見失った〝集団人間〟に変身するわけだ。彼は匿名によって個人ではなく「群衆の人」となる。群衆に混じっていれば安心でき、群衆と同じ方向に沿って動けば心が落ち着くのが、その特性だ。集団心理に染まっているから、集団の指示や暗示に喜んで従うようにもなる。

この段階で、彼はもう以前と同じ人間でない。集団人間にすっかり変わってしまった。フランケンシュタインのように怪物に変わってしまったのだ。

少なくとも、集団にいる間は全く別人になった。議事堂に集団と共に向かったのも、ごく自然な流れだった。羽目を外し、不法行為に至るとは、考えてもみなかった。いや考えること自体、やめていたのである。

さらにスマホ上に飛び交う極端言語のワンワードも、判断に重大な負の影響を及ぼす。ワンワードは軍隊の命令ワードそのものだ。

極端言語・ワンワードの特性を理解するには、軍隊の号令が分かりやすい。ワンワードを放って部下を従わせる。

「気をつけ！」

上官の号令に、兵隊は一斉に踵を揃え、直立不動の姿勢をとる。

「右向け右！」と叫ぶと、兵隊は一斉に首を右にひねる。命令は絶対で、反抗や躊躇《ちゅうちょ》は許されない。

この従順性こそが、極端言語のワンワードが生む産物の一つだ。相手を反射的に従わせる言葉である。

上の権威に従う従順は、社会適応の一形態だが、従順が習慣化すると一種の社会的な病気となりうる。その病気とは、権力者の言いなりになる自発性欠乏症のことだ。トランプのようなデマゴーグの天才が彼らをAＩで意のままに操る。

こうして支配勢力にとっては、AＩデジタル技術のお陰でじつに好ましい追従者の従順性が手に入るわけだ。

この運動主体の支配者と従者の二極化も、世論の極端化と重ね合わせるように起こり、進展して行く。これが形態としての新タイプのファシズム運動である。

この「一人トップと追従エリートによる大衆支配」構造こそが、ファシズムをはじめ全ての独裁制全体主義国家に共通する政治形態なのである。その現代の典型例としてロシア、中国、北朝鮮が真っ先に思い浮かぶだろう。

Qアノンは、デジタル技術環境の最悪のありようを垣間みせる。扇動的エリートが、追従が習い性となった大衆を動かす——全体主義にみられる精神構造が、じつに民主主義の盟主であるアメリカ合衆国で国を二分する形で形成されたのだ。この意外な展開を、AＩが動かすデジタル技術が助長したのは疑いない。

なぜなら、精神の均衡を揺さぶり極端に言動を走らせる動因が、デジタル環境自体に潜んでいるからだ。

全体主義政治の二極化形態を指導者の立場から明確にした政治コンセプトが、アドルフ・ヒトラーの「指導者原理（Fuehrer Prinzip）」だった。そこで指導者は、民族と国家を強力に導く天啓を受けた存在、とされた。

Ｑアノン現象は、アメリカで支配層である白人が抱いた危機感の表れ、とも言える。偶像は彼らを代弁してくれるドナルド・トランプであり、不正な選挙で消されたトランプはよみがえって復活しなければならない。これは善と悪との戦いであり、われわれは勝たなければならない――Ｑアノンらは、このように考えたようだ。

不気味なのは、Ｑアノン現象が意外な広がりをみせたことだ。Ｑアノンの勢いは、この先進民主主義大国の深い亀裂を内外に示した。他の民主主義国の要人らは、想像も付かなかったＱアノン現象に戸惑いながらその影響を注視した。

二〇二四年秋の米大統領選挙で、果たしてドナルド・トランプがＱアノンらの後押しを得て復活勝利を遂げることができるか。その結果は米民主主義の行方を左右するばかりか、ウクライナをはじめ世界の政治情勢に決定的な影響を与えるだろう。Ｑアノン運動の興亡が、米大統領選と世界の方向を左右するカギの一つを握っているのは疑いない。

技術崇拝は、ＡＩの進化で現代の宗教と化しつつあり、放っておけば蔓延していく。技術崇拝に反対もしくは不安の念を抱くのは、自己決定力をいつのまにか奪われる、すなわち自由を侵される恐れを抱くひと握りの敏感な知識人にすぎない。圧倒的に大多数の者は、疑念なくＡＩがもたらすと信じる利便性に心を奪われ、抵抗感なく推進支持か黙認側に回ることだろう。その結果、AIがつくる利益複合共同体の受益者らが、推進派の頂点に立って一途に計画を主導していくだろうことは、想像に難くない。

このような方向性から、技術崇拝の滔々たる思潮に待ったをかける少数者が心すべきは、AI関連の利権を政・官・財の巨悪に牛耳らせないデジタル民主主義の実現、加えてそのための規制をどうするか、である。自由と公正性を追求する少数派にとって、近未来の戦いの姿の一つはAIの利権支配層との戦いになる。

奇形的な経済二極化の考察に関し、米国の巨大IT企業の動向が限りない示唆を与える。米GAFA四社にマイクロソフトを加えたGAFAMの時価総額は、二〇二〇年四月末時点で約五兆三〇〇〇億ドル（当時約五六〇兆円）と東証一部約二一七〇社の合計（約五五〇兆円）を上回った。その四年前の一六年末時点では、東証一部が二倍以上大きかったが、毎年追い上げられ、ついに抜かれたのだ。東証一部が三年四カ月で時価総額を四%ほど減らしたのに対し、マイクロソフト、アップル、アマゾンは二倍以上増やしたのである。

世界時価総額ランキングでみると、二〇年一〇月時点でトップ一〇社中四社をGAFAが占めた。中国のIT大手二社、アリババ集団、テンセントもトップ一〇に加わった。六社とも個人データを集め、ITを駆使して独占的な力を振るうプラットフォーム（PF事業者）だ（中国二社は二一年に米中対立のあおりでトップ一〇から陥落）。

米巨大ＩＴの成長を期待して、世界中から資金が集中する。ゼネラル・モーターズ（ＧＭ）など自動車やエクソンモービルなどエネルギーに代表される米国の伝統産業が、コロナ禍で大幅減収に見舞われる中、巨大ＩＴはコロナが促したオンライン化の流れに乗って好調を続けた。

富の一極集中の高進で、巨大ＩＴの投資余力は膨れ上がる。グーグルの持ち株会社、アルファベットのスンダー・ピチャイＣＥＯは、長期的に優先度の高いＡＩに資金を投じる方針を表明した。ＡＩの開発に拍車を掛け、新システムを作り出すのが狙いだ。

このように巨額の資金を握る米ＩＴ大手が、ＡＩを先導し経済を牽引する構図が米国で鮮明になった。追う中国もＡＩ最先端国を目指し、その巨額資金の多くを国の補助金で賄う。いまやＡＩは資金を次々に呼び集め、世界規模で発展途上にある。これが技術崇拝の行き着いた先だ。

ＡＩ社会では、しかし、トリクルダウンは起こらず、所得・資産の分断が一層鮮明になる。政治が有効な手を打たずに事態を放置すれば、富の格差はさらに一段と進み、社会はほんのひと握りの超富裕層と大部分の低所得層とに分断され、社会のスタビライザーだった中間所得層が一層縮小して社会の貧困化・不安定化をもたらすのは必至だ。

超監視社会

ＡＩ支配の着地点は、国民を厳重な監視下に置く超監視・管理社会かもしれない。民主国家にあっては、ＡＩ利権を手中に収めるＩＴ大手と政府権力とが手を結ぶ可能性がある。

われわれは、このＡＩ超監視社会の究極のモデルを新型コロナウイルス感染下の中国にみることができる。二〇二〇年四月、筆者の知る中国人ビジネスマンのＴ氏は空路、寧波から石家荘へ出張した。到着すると、スマホに表示される「健康コード」の色が「コロナからの安全」を示す「緑」から感染のリスクを示す「赤」に変わっているのに気付く。「なぜ赤？」と自問したＴ氏は、その理由がすぐに分かった。中国政府のコロナ感染リスクの有無を追跡する新アプリで、市外から離れ、感染者が出た地域に入ると「赤」表示に変わることを友人から聞いたからだ。

コロナの感染リスクは高い順に赤、黄、緑の三色で色分けされる。赤や黄になると一週間以上の専門病院での隔離や在宅隔離と毎日の体調報告が義務付けられる。

一方、健康コードは、アリババの決済サービス「アリペイ」やテンセントのＳＮＳサービス「ウィーチャット」を通じて発行される。健康コードは「デジタル通行証」と呼ばれ、携行が義務付けられている。顔認証と位置情報で本人の移動先、居場所が分かり、経過追跡や接触者の特定につなげる仕組みだ。国民監視手段としては完璧に近い。健康コードはアリババの拠点都市の杭州市とアリババが組んで制作され導入、そのモデルが評価されて全国の自治体に採用された経緯がある。

中国治安当局は、このスマホを介した監視システムを使って個人情報を集め、コロナ感染を奇貨に〝危険人物〟やイスラム系過激派をあぶり出し監視・追跡する。新疆ウィグル自治区では、スマホや各所に据えた顔認証カメラで不審者を割り出し、一〇〇万人以上を拘束して「再教育センター」に強制収容した、とされる。収容者への拷問、暴力、レイプも伝えられる。

このような超監視全体主義国家が、すでに世界第二の経済大国として権勢を振るっているのだ。権力を握る支配層の共産党員は、中国全土に約九千万人にも上る。国民は言論・集会・信仰の自由を奪われる一方、情報が政府筋からしか得られず、政府批判は封じられている。司法の独立もなく、当局を相手取って訴えたところで裁判でも勝ち目がない。政府権力が強大な上、自らの意思で政治を選ぶことができないため、現状を変えることは相当に困難だ。国民は巡らされた監視カメラや携帯情報で丸裸にされ、公権力の言いなりに飼育される。自由にやれ、ただし政治には口出すな――これが現代中国の恐ろしい現実である。

ここで注目すべきは、中国の李克強首相（当時）が二〇二〇年五月に表明した中国経済の格差状況の真実である。中国はなお貧しく「六億人が平均月収一〇〇〇元（当時約一万五〇〇〇円）前後で暮らしている」と明かしたのだ。中国のＩＴや製造・金融大手を牛耳る超富裕層と農民などの超貧困層との極端な所得格差構造が、浮かび上がったのである。

この中国モデルが、米欧日の分断された民主主義国に圧力を掛け、その民主主義モデルに変更を迫って強権的なモデルに変質させる可能性がある。

ウクライナ戦争の長期化と共に、世界の勢力構図は急速に変わってきた。米中の対立を主軸に、全体主義国家や欧米日の民主主義国家、強権支配型の疑似民主主義国家がせめぎ合う新たな構図が形成されつつある。強権支配型・疑似民主主義国家とは、民主主義の体裁は一応とるが、実態は大統領が強権支配するトルコやハンガリーなどだ。

世界の分断が続く中、弱肉強食性の強まりをみて多くの国で「安全保障の強化」を大義名分に強権国家化の傾向が強まっていくのは、避けられそうにない。

この国際的な権力抗争は、強権国家化に向け二つの技術要素が必然的に随伴する。監視システムとAIデジタル技術だ。この技術要素を全体主義体制国家と民主主義体制国家を単純比較すると、民意が問われる民主主義国のほうが開発スピードで遅くなることは否定できない。政府が国民の個人データを有効活用するためには、データの収集・統合が欠かせないが、民意が問われる民主主義国では、その実現はそう簡単にいかない。プライバシー侵害問題が常に立ちはだかり民意の合意が困難だからだ。一方、監視システムで世界の先頭を行く中国は、全体主義体制ゆえに民意に計ることはしない。国民の安全保護を理由に、国民を強引に誘導するか従わせる。政策への抵抗は通常、容認しない。

個人情報・プライバシー問題は、人権と自由の扱いとが不可分の関係にある。個人情報と人権が確保されるには、個人主義と自由主義の母胎が必要だからである。国家の強権化とそれに伴う監視化に対し、少なくとも欧米日では民意がこれに安易に従うとは考えにくい。個人主義的民主主義が根を広げ、プライバシーの侵害にも敏感に反応するからだ。

プライバシーは、個人の侵入されたくない「自由な情報空間」である、との確信がそこにある。プライバシーにいつの間にか侵入して、自分の個人情報が盗まれ、悪用される監視社会化の危険に敏感に反応するのだ。

新型コロナのパンデミックは、「監視対プライバシー」の問題をあぶり出した。監視対プライバシーの関係は、監視能力が高度化された現在、「ＡＩ対プライバシー」の関係に置き換えることができる。国が強めようとする監視能力は、デジタル技術の司令塔であるＡＩの出来に依存しているからである。

となると、民主主義国はこの面でじつに悩ましい課題を背負い込む。市民への監視システムがどの程度、どこまで許容されるか、個人情報はどこまで保護され、その扱い状況を市民はどのようにして知ることができるか、である。悩ましいのは、個人情報の一定程度の利活用が、戦争や災害などの非常事態に欠かせないことだ。

コロナウイルスの感染拡大で、各国・地域は住民の生命が脅かされ、生活が一斉に困窮する中、一時的な救済資金の提供を余儀なくされる。しかし、災厄の被害者を例外なく公平に救済するには、そもそも最小限必要な住民の個人情報をそれぞれの市町村等が備えておかなければならない。

政府がウイルス感染拡大を防ぐため、個人のプライバシー情報をアプリを使って活用しようとする場合、民主主義国では、どういう条件でどこまで許容するかが問題となった。

個人情報問題への取り組みは、今後、四つの面に焦点が絞られる。

一つは、ＩＴ大手など民間企業が繰り出す手法で利便性を刺激され、スマホなどの利用者が個人情報を悪用されるケース。二つめは、Ｑアノンに象徴される大衆扇動を目的とした政治的な個人情報の悪用。三つめは、気候変動やウイルス蔓延など自然的要因の災害対応に伴う個人情報の悪用。四つめが、ロシアのウクライナ侵攻を引き金とする国際的な戦争の危機への政府対応に伴う個人情報の悪用ケース。

これら四通りのシナリオに備えた個人情報・プライバシー保護戦略が必要となるだろう。この危険なシナリオへの対応戦略は、監視システムを動かすＡＩへの取り組みが中核となる。

生成ＡＩに象徴されるＡＩテクロノジーの急進化は、市民の個人情報から国家間のＡＩ戦争の領域にまで、広く、深い影響を世界規模で及ぼすに至った。技術崇拝の現代信仰心が、この技術進化をひたすら後押ししたのである。

（注32）ジャック・アタリ『食の歴史　人類はこれまで何を食べてきたのか』林昌宏訳（プレジデント社）

（注33）武邑光裕《たけむらみつひろ》・千葉工業大学変革センター研究員が、毎日新聞（二〇二二年一月三一日付）にこの見解を表明した。

V

明日の世界

渦の中の、漂流と脱出

コロナの一大衝撃

コロナ後の社会を予測するに当たり、まずは新型コロナウイルスがもたらした災禍の特徴を記しておこう。それがどれほど異常な疫病だったかの理解から論を進める。その異常性ゆえに、コロナの「負の影響」が際立つ。

コロナ禍は、世界中で人々の生活を強制的に変えた。それは二〇二〇年一月二三日、中国の発生源・武漢市のロックダウン（都市封鎖）に始まった。感染は瞬く間に海外にも広がり、WHO（世界保健機関）は三月一一日、「パンデミック（世界的大流行）とみなせる」と宣言した。

パンデミックにより、新型コロナウイルスはあらゆる国境を越え、人類全てにかかわる疫病となった。その感染拡大を防ぐため、全ての国・地域で人と人とを接触させない方法が採《と》られた。外出制限、休業・休校、営業停止、施設閉鎖、集合規制などの法的措置や行政命令が感染が急拡大する世界の地域・都市の至るところで実施された。

人々の生活は一変する。自宅での「巣ごもり」を長い間、余儀なくされる。日本では、欧米のような厳格な法的強制ではなく、休業や営業短縮などを自粛要請の形で規制した。「三密」の危険が叫ばれ、テレワークが推奨され、生活の「ニューノーマル（新常態）」への適応が求められた。

実際、コロナの衝撃はかつて体験したことのない変化を世界規模で人々の日常生活にもたらした。その変化の本質とは、人との接触の抑制である。ウイルスが人から人へと感染して生き延びる性質から、人の集まりと移動が制限された。

日本では人の往来を八割程度減らすよう要請された。こうして旅行・観光・宿泊業や娯楽施設、スポーツ競技場、ジム、劇場、映画館に至るまで休業や閉鎖を余儀なくされ、自宅から外出もままならなくなった。人との「濃厚接触」は危険とされ、二メートル程度間隔をあけて話し、唾やせきが飛ばないようマスクの常時着用が義務付けられるか習慣化した。

コロナ前は街にマスク姿がみられなかった欧米でも、マスク着用が感染拡大と共に――米国の共和党支持者の多くは拒否していたものの――日常風景と化した。

日本のコロナ対策でキーワードとなったのが「三密（密閉、密集、密接）」の回避と「ソーシャルディスタンス（Social Distance ＝社会的距離）」だ。その上で、小池百合子・東京都知事は「Stay home」と呼び掛けた。

三密の一つ、「密閉」とは、窓がなかったり換気ができない場所をいう。「密集」とは、人が大勢集まったり、少人数でもごく近い距離で集まること。「密接」は、互いに手が届く距離で会話や接触したり、を指す。

「ソーシャルディスタンス」とは、無自覚のウイルス感染者が他者に感染させないようにする「社会的距離」のことだ。どのくらい人との距離をとるか。厚生労働省は、くしゃみやせきで飛沫が二～三メートル先まで届くことから、相手との距離を二メートル程度とすることを推奨した。

ところが、この「ソーシャルディスタンス」に象徴される人との濃厚接触喪失が長期化したことから、とりわけ子どもや若者らの社会化・人間形成に問題が生じるのは必至となった。

檻の中の囚人

妻（夫）と子、恋人や友人との濃厚接触こそが、愛を交わし、育む上で欠かせないプロセスである。これなくして愛の絆は深まらない。

政府は、ウイルス感染が収まるまでの時限措置として、濃厚接触回避を持ち出したはずだが、その「時限性」は明示しなかった。それは、あくまで収束までの緊急の一時的な予防措置のはずであった。

しかし、その明確なメッセージを欠いたため、国民の多くは濃厚接触回避をこの先ずっと継続的に実行しなければならないかのように錯覚してしまった。「濃厚接触はやってはいけない悪い行い」とカン違いしてしまったのだ。こうしてコロナ感染が終息した後も、政府の刷り込みの影響が尾を引いた。

一番考えられる弊害は、人がソーシャルディスタンスを当然視して習慣化し、コロナ収束後も濃厚接触を極力避けるようになってしまうことだろう。それが人々の生活に定着すると、社会関係が希薄化し、不安定化することは避けられない。結果、社会的な接近とコミュニケーションを阻害してしまう。

コロナは人と人を分断することによって、人が親密になる機会を奪う。人の疎外状況が深まる中、人に近付こうとする意気を挫き、「自分が傷付かないように」と自己防衛的、消極的にさせてしまう。そこから生まれる最も恐ろしい産物は、恋愛や友情が育ちにくくなることだろう。濃厚接触の習慣的な回避で「一人ぽっち」が普及するにつれ、魅力的な異性に近付く手段――集会やパーティーなどの出会いの機会は以前よりも減る。半面、コロナ下で増加した出会い系オンラインサービスが、新しい出会いのチャンスを提供する。その気になれば、いいパートナーに出会うケースもむろんあるが、こうした幸運なケースはそれほど多くない。結果、結婚や子どもの出生の数は目にみえて減少し、少子化に拍車が掛かる一因となった。

コロナ発生時二〇二〇年春の日米の出生率はすでに前年水準を下回った。コロナの影響が出生率に表われる二〇年一二月以降コロナ禍が続く中、日本を含む世界の出生率は顕著に低下した。日本で生まれた子どもの数（出生率）は、感染禍の二一年に七九万人余と、八〇万人を割った。統計を開始した一八九七年以来、最も少ない。

濃厚接触はよくないと、ハグやキスどころか、友人やチーム仲間との握手やハイタッチさえ避け、せいぜいグータッチをするだけとなった。ソーシャルディスタンスの習慣が長引くにつれ、この種の親愛や喜びを大っぴらに分かち合う社交的な作法はすっかり影が薄くなった。

祭りやイベントも同じように「三密」からの追放が長期化し、消滅の危機にも見舞われた。たとい開催されても、無観客でオンラインとか入場制限が当たり前となった。人は情熱を燃やし、喜びを共有しようとすれば、他者との濃厚接触は欠かせない。だが、コロナウイルスは人と人とを分け隔てる悪魔的な働きをした。人々は仕事現場のオフィスや楽しみの場から追放され、自宅で時間と空間が縛られる「檻の中の囚人」と化した。

その結果は、「現実との生きた接触喪失」である。

ソーシャルディスタンスの社会的影響は、今後長期にわたりジワジワと表れる。その影響は数世代に及び、従来にない異様な社会現象を呈するのは必然だろう。

ソーシャルディスタンスで接触喪失

人―人の交流密度の減少は、社会活動力や文化活動力にも深い「負の影響」を及ぼす。人間との生きた接触の喪失は、そのまま社交力と社会的感性を鈍らせ、社会に対する感応力を弱める。感性のアンテナが対象から遠のいて接近しなければ、相手が発する繊細な電波は決して届いてこない。

コミュニケーションとは、生身の人間の言葉と身体（ボディランゲージ）を使った相手とのやりとり（交流）だ。ソーシャルディスタンスの行政指示は、コミュニケーションは慎重に、一定の距離を置かなければならない、とした。

問題は、ソーシャルディスタンスが個人の自発的意思に発したものではなく、社会規範として外から求められたことだ。この新作法がパンデミック下、社会の日常の習慣と化して国民の間に浸透していき、半ば強制的に普及・定着したのである。

ソーシャルディスタンスの危険性は、この面に表れる。対面接触を失った結果、いつしか社会が自分によそよそしく感じられるようになり、社会からの孤立感を深めやすくなる。疎外感から引きこもってしまう高齢者や「ニート」と呼ばれる就学・就労をしていない若者が、その犠牲になりやすい。

日本の若年層（一五〜三四歳）の死因トップが自殺だ。自殺を思う彼らの描く将来は「希望のないイバラの一本道」にみえるに違いない。生きていること自体が苦痛であり、耐えがたい重荷にも思える。ソーシャルディスタンスの新作法は、こうした社会的底辺にいる人々を一層孤立化させて苦しめる。

あるネットカフェで寝泊まりする二〇代末の若者から話を聞いた。彼は都内の有名私立大学を卒業後、希望していた広告大手に就職した。しかし仕事の重圧と上司のパワハラに耐えられずに二年余りで退社する。

その後、トラック運転手、外食チェーン勤務など非正規の職を転々としているうちに体調を崩し、勤めも休みがちとなり、月々の家賃を払えなくなる。二〇二〇年明けからネットカフェを〝新住居〟に一時的な仕事で食いつないできたが、折しもコロナ禍が起き「万事休すになった」。

いまはジッと耐えて正規の安定した仕事をみつけるしかないが、難しいし、自信もない。コロナ関係の助成金も調べてみたが、自分に受給資格があるとは思えない、と語った。が、ほどなくして幸いNPOの助けを得て、短期間だが病院事務の仕事に年間契約で就くことができた。

この男性の場合、葛藤のあった上司との戦いを諦め、あっさり辞めてしまったことがある意味、誤算だった。「労働市場はもっと開けていて、なんとかなると思った。自分の能力にも自信があった」という。転職の際も「コネを生かしてもっと手堅くやるべきだった」と準備不足を認めた。たしかに彼の「人生、なんとかなる」という信条自体は間違っていない。が、引き受けた仕事の内容が問題だった。臨時仕事でつないでいたが、疲れ果てて余裕を失い、その日暮らしに陥ってしまったのだ。

彼の労働の性質をみると、知識やスキルが蓄積しそうにない。臨時的な仕事なのでキャリアも積まれない。長時間の繰り返し仕事で肉体的にも気持ち的にも辛く、生活もカツカツ、将来計画を考えるどころではない。今日を生きていくことしか考えられない。

しかも職を転々としているから友人もできない。社会への不信感を強めて自信を失い、孤立感が一気に深まった。このままでは、結婚生活は絶望的だし、安定した会社勤めも難しい、と彼は冷静に自己分析した。

これはフランスの女性哲学者シモーヌ・ヴェイユが「工場日記」に描いた日常そっくりだ。重労働の繰り返しでくたびれ切って、もはや考えることもできない日々。思考が働かず、社会からもはじき出され、自分を限りなく卑小に、自信なく感じてしまう。

コロナ禍で、ソーシャルディスタンスが社会規範として普及した影響から、人それぞれが一層他者から離れ、コミュニケーションも希薄となるか。結果として、現実との生きた接触が失われ、「社会的動物」であるはずの人間から社会性が剥ぎ取られてしまう。

その社会風景はいわば「血の気《け》の薄い社会」である。渥美清の演じた「車寅次郎」が暮らす下町とは真逆にみえる。血の通わない活気の失せた社会である。

ソーシャルディスタンスの影響は、若年層ほど受けやすいのは明らかだ。子どもは親や先生から受けるソーシャルディスタンスの躾で、人との距離を保つように繰り返し刷り込まれる。子を抱っこしなかったり、手をつながない親も出るかもしれない。その非社会的影響は、子が大人になっても影を落とす。

児童へのソーシャルディスタンスと自宅学習の負の影響は、すでに表れている。

国立成育医療研究センターの子ども（七～一七歳）を対象に二〇二〇年四―五月に実施したインターネット調査。結果は、まず生活リズムの変化だ。「起床や就寝時間に変化があった」と答えた者が小学生から中学、高校生まで各半数以上に上った。教育専門家らによると、コロナによる長期の休校の影響が現れている。心身の不調とストレスで、登校できなくなる子どもが増えた。

政府の二〇二〇年春の第一次緊急事態宣言で、子どもたちは新学期が始まった四月～五月を登校せずに自宅に引きこもって過ごした。運動会や音楽会などの学校行事は全て中止になった。学校が始まっても、小学校の中には、飛沫感染対策として休み時間の外遊びを制限しているところがあった。結果、遊びや話したり、はしゃいだりが少なくなった。子どもたちはコミュニケーション力が鈍り、不活発になったようだ。

「シーンとしている教室が増えた」「おとなしい生徒が増えた」と小学校の先生たちは異口同音に指摘した。

マスクの着用も負の影響を及ぼした。「笑わない幼児」や「反応の鈍い子」を増やしたのだ。マスクを着用して話しかけることで、保育園で乳幼児が保育士の表情が読めずに反応が弱いケースも、相次ぎ報告された。先生がマスクをしていると、幼児たちは動作を求められても口の動きが隠されて読み込めない。スプーンにおかゆを盛って「あーんは」と口を開けるように赤ちゃんに近づけても反応がない。

匿名を条件に東京・江東区の園長が明かした。

「お口で『モグモグ』して、と言っても、マスクで顔が半分隠れて幼児に伝わりにくい。ので、顔がみえるようにフェースシールドを付けて対応している。コロナがずっと続くようなら、コミュニケーションに長期的な影響が出てくる」

マスクはコロナの飛沫感染防止には役立つが、乳幼児に言葉を覚えさせたり、心を交わすのを難しくしたのである。

新たなトラブルの発生も、専門家は指摘する。「コロナいじめ」だ。「ソーシャルディスタンス」と称して仲間はずれにするいじめで、コロナが生んだ、平時とは違ういじめのスタイルである。ソーシャルディスタンスの習慣化で、人を寄せ付けなくする新しい社会的緊張を生む可能性が生じた。ソーシャルディスタンスは非社会性ばかりか反社会性をも助長したのである。

人間関係にはさまざまな要素が働くが、その一つが相手と自分との「距離」である。その基準はむろん相手によって異なる。親しい関係だと距離は近付きやすく、未知だと一定の距離が保たれる。

「ソーシャルディスタンス」は、二メートル程度の物理的な距離を指し、心理的な距離ではない。しかし相手とよい関係を築き、それを保つには、物理的距離の公的制限は本来、あってはならない。相手との自由なコミュニケーションを阻害し、親密な関係作りに支障を来たすからだ。

社会適応にプラスに作用する心理的要素に関する調査によると、最もうまく社会適応ができていると本人が感じる人は、「愛着を安定的に維持する」タイプであるという（注34）。

親しみや信頼を感じ、育む〝愛着型人間〟が、自らを「社会適応ができている成功タイプ」と自信を持つのが自然だ。調査では、愛着の安定性が高い人は、ほどよくオープンで、ほどよい警戒心も備え、ほどよい対人距離を保つ社会活動家タイプであると判明した。つまり、ソーシャルディスタンスとは心理的にも物理的にも反対方向の「接近型タイプ」である。

逆に、〝愛着回避型〟の人は、感情表現を抑える傾向があり、気持ちや本音をなかなか言おうとしない一見クールな人間像だ。

ソーシャルディスタンスの奨励は、愛着回避の方向へ対人関係を追いやる。相手との間に物理的な距離をつくり、心理的距離も隔たったまま埋まらない、となりやすい。

まず社会適応に欠かせない「人への愛着」の初動プロセスが妨げられる。人との愛情・友情関係を築くための始動段階である「至近距離での会話」に、早々とバリアが設けられてしまう。

ソーシャルディスタンスは、濃厚接触を回避するための行政のキャッチフレーズだが、受け取る側の市民の多くは、これをもっとシリアスに「なるべく人から距離をとる」「人に近付かない」というふうに受け止める。

東京都内住宅地の子どもたちが楽しむ川辺を訪れてみた。そこに市民に対し注意事項の表示板が掲げられていた。

それには「マスクをする」と共に「他の方から離れる」とある。楽しみの川辺で「集まる」のではなく、「離れる」とは、穏やかでない。異常な表現である。社会生活の基本となる「家族や仲間との交流」とは真逆のメッセージだ。この真逆のメッセージは､コロナ禍が収束したあとも、子どもたちの脳裏に刻まれ、消えそうにない。

このようにみると、コロナ禍がもたらした負の社会的影響が明らかとなる。

コロナ禍は、社会を形成してきたコミュニケーションと人間関係のあり方を否定し、人間相互の信頼形成を妨げたのだ。コロナが社会の分断と離別をもたらしたのも必然である。

人類が営々と築いてきた文明へのコロナの爪跡は、あまりに凄まじい。

人から距離を置く「ソーシャルディスタンス」が、コロナ感染対策の肝だが、これが社会関係を分断する根本要因となった。祭りのような人間の集合性を否定したことが、その象徴だ。コロナは人類文明を解体する働きをした、とみなしてよい。

ソーシャルディスタンスは、人間関係から「愛着」を遠ざけるばかりでない。それ以上の分離作用を果たす。他人への距離を保つのは、そもそも濃厚接触すると「コロナの感染」が大いにありうるからだが、この流れで不安から対人嫌悪とか対人忌避、対人恐怖を誘発するようになる。

挙げ句は、他人を全て「危ない」と疑う疑心暗鬼の心情すら呼び起こす。

これは容易に、人間を疑ってかかる「人間不信」につながる暗い心情風景だ。だが、コロナ感染への怖さが、コロナを運ぶ人間への怖さに転じるのも、むしろ自然な流れにみえる。コロナの本性は、人間への不信感、不安感を撒き散らす感染症でもあったのである。

その意味で、「ソーシャルディスタンス」なるキャッチフレーズは、コロナ時代を象徴する表現となった。それは本来、正しい用語として「フィジカル（物理的な）ディスタンス」とか「プレズント（いまの）ディスタンス」というべきだったろう。

このような呼び名に変わっていれば、使う側にとって意味が明瞭となり、コロナ感染防止のための「一定の距離」という認識を共有できただろう。筆者はかつてこの代替フレーズのうち分かりやすい「フィジカル・ディスタンス」をお勧めした。これだとコロナ禍の中、会話を相手と交わす際の距離として社会の納得を得やすかった。対応がズレていたのだ。

世界のコロナへの不安は、まずおのれの肉体への感染不安から始まったが、その不安はもっと全面的な社会的経済的不安にまで深まっていった。それは生存の根源的不安にほかならない。ここにコロナの脅威の真の核心がある。

問題を整理するため、日本における新型コロナウイルスがもたらした根源的な不安を総括してみよう。一ミリの一万分の一という、光学顕微鏡によってさえみえないウイルスが発した不安を。

〈疫病の不安〉

- ウイルス変異状況、感染経緯など実態が依然よく分からない
- 感染爆発を起こす強烈な感染拡大力→インド由来のデルタ型は感染力がとくに強い。オミクロン株はさらに感染力が強い
- 感染しても発症しない無発症者が多数出て、本人も感染を自覚していない→人が自らの感染を知らないまま感染源（加害者）になりうる
- ワクチン不安→接種・普及が不十分かつ遅く、副作用の懸念も残る

- 肺を冒して重症化し死に至りうるほか、血栓を生じたり免疫システムを過剰反応させて心臓や脳、腎臓、血管などを傷つけ、合併症や後遺症を引き起こす可能性がある
- ウイルスが不断に変異し、より感染力が強くなるなど性質が変わる

〈社会的不安〉

- 常に感染のリスクに脅え、気が休まらない
- 感染防止用のマスク、消毒液などを携帯したり常備しなければならず負担が大きい
- 人との接触への警戒と自粛→人との出会い、交流が減少する
- ソーシャルディスタンスによる対人接触の希薄化と社会関係づくりの機会減少→人を避けがちとなり、孤立化リスクを高める
- 濃厚接触の回避による母と子、男女らの接近チャンスの減少と社会化プロセスの歪みを引き起こす
- 人との接触制限によるヒューマン・ネットワークの不自由化、不安定化、縮小化→その反作用としていじめ、DV（家庭内暴力）、セクハラ、パワハラ、自殺、暴力行為等が増える
- スポーツ、コンサート、観劇、祭りなど文化・娯楽関連や飲食業、旅行・観光業における「三密」回避規制→気晴らしと楽しみの減少、ストレス累積、関係事業者の困窮化をもたらす→事業破綻や縮小、失職、仕事の喪失リスクを増やす
- 教育現場における対面の回避とオンライン授業・研究への転換→先生と学生・生徒間のコ

AIへのコロナの影響

コロナウイルスがAIの技術進化を大いに推進したことは、ZOOMやTEAMSなどオンライン会議システムの隆盛ぶりをみればすぐに分かる。最も象徴的なAI活用例は、感染者と濃厚接触した危険性を通知するスマートフォンのアプリだろう。コロナがAI時代の到来を早めたのである。

ここで浮上してきたのが、国民生活に直結する国家のAIの使い方問題だ。コロナの感染危険通知アプリの採用に際し、二つの相反するAI使用法が現れた。コロナに対するAIの取り扱いがくっきりと二つに分かれたのである。

一つは、国民のプライバシー保護を前提としたAI活用のアプリだ。日本などの民主主義国家で採用されたか採用を目指した。

もう一つは、コロナ禍を奇貨に、感染危険通知アプリを動かすAIを国民監視技術に徹底活用する手口だ。コロナ以前から中国が先行し、ロシア、北朝鮮などが後追いする。

AIの使い方を巡り技術思想が、民主主義タイプ対全体主義タイプに二分されたのだ。

この二つはAIに対処する国家の基本モデルとなるものである。各国はAI対応で、今後もこのいずれかのモデルを導入するだろう。

ただし、その使い方は変わりうる。民主主義タイプのプライバシー尊重主義は、政権の権力によって絶えず骨抜きにされる恐れがある。全体主義タイプも、国民監視に反抗する反体制勢力によってＡＩ支配を覆される可能性がある。

とはいえ、当座の国家のＡＩの扱いは、その二つのどちらかしかない。その扱いは究極において民意の動向と政治が決める。民主主義か全体主義か、あるいは民主主義制が形ばかりの疑似民主主義体制か、によって事実上の二者択一の扱いとなる。

日本を民主主義国家、中国を対極の共産党独裁による全体主義国家と位置付け、双方のＡＩの具体的な使い方をコロナ対策に即してみてみよう。

厚生労働省は二〇二〇年六月、感染者との接触確認アプリ「ＣＯＣＯＡ（ココア）」をスマホに無料で提供し始めた。スマホ利用者がインストールすると、同じようにインストールしたウイルス感染者が「一メートル以内に一五分間以上」いた場合、互いのスマホ端末に接触情報が記録された。

ココアは、後に表示不具合など運用上のミスを連発し、技術的な機能不全に至る。だが、ここでは焦点をその根本的な仕組みと技術思想に当ててみる。

ココアは、個人が特定できないように、電話番号や氏名など個人の特定につながる情報は使わない。暗号化された接触情報が記録され、記録は一四日後に自動消去される。

利用者が検査で陽性と分かると、保健所が本人に処理番号を通知。本人が処理番号を入力すると、過去一四日間に接触記録のあるスマホに「陽性者との接触」が通知される。接触通知を受けた人は、アプリ上で症状を入力する。症状がある場合、帰国者・接触者外来などの受診案内が受けられる。

保健所は利用者の個人情報をつかめない仕組みのため、通知された人が自発的に受診などの行動を取る。

このようにココアは、プライバシーの保護に徹した仕組みだった。

対極にあるのが、デジタル技術を共産党政権の権力維持・拡大のツールに活用する中国だ。個人のプライバシーを尊重する民主主義国と対照的に、中国政府は「共産党政権ファースト」を貫く。デジタル技術を国民支配の手段として位置付け、技術の頂点にAIを据える。

中国は二〇一七年七月、次世代AI発展計画を発表、二〇三〇年には「AIの理論、技術、応用全てで世界をリードする」目標を掲げた。これは二〇一五年三月に公表した「インターネット・プラス行動計画」に続くものだ。同行動計画は、世界最強の製造業とモバイルインターネット、クラウドコンピューティング、ビッグデータ、IoTなどとの結合を柱とする。

以後、アリババ、テンセント、バイドゥ、ファーウェイなどを先頭に、新興ユニコーン企業が次々に勢い良く成長した。

習近平政権が絶大な権力を手中に収めた背景に、人口一四億人分のビッグデータを独占し、デジタル技術を使って企業、団体、個人を監視し、管理する権力集中がある。

法律によって企業に情報を提供させ、政府に協力させる。アリペイなどの電子マネーの取引記録を入手し、カネの動きを把握する。スマホを通じてメールや電話など通信を傍受し、位置情報で居場所と立ち寄り先、訪問目的や会った人物を割り出す。

全中国に四億台超（英国調査機関調べ）ともいわれる監視カメラと顔認証「健康カード」の個人情報を繋げ、体制の〝邪魔者〟を把握、摘発する。摘発の基準は、共産党政権への忠誠度だ。体制にとっての危険人物や煙たい存在が対象となる。

信用スコアリングで国民の査定まで行い、信用力評価を通じて統制する。反抗したり、その素振りをみせる学生、知識人らに対しては反国家政治活動を理由に拘束する。実験段階のデジタル人民元が始まれば、どんな現金取引も一元単位まで分かってしまう。

大きく問われてくるのは、デジタル民主主義かデジタル全体主義かの選択である。

デジタル民主主義の成否

日本では、プライバシー尊重の接触確認アプリが、デジタル民主主義の特性を示す。当局の監視につながる行動追跡型の中国やロシア、韓国とは異なるタイプのアプリだ。個人が特定できる個人情報は登録せず、全地球測位システム（GPS）を用いた位置情報も採用しない。

近距離無線通信「ブルートゥース（Bluetooth）」の機能を使い、接触履歴だけを検知する。接触データは利用者本人にしか分からず、接触データは暗号化されて誰のものか特定できない仕組みだ。

このアプリの基本技術は、米アップルと米グーグルが共同開発し、日本政府は米マイクロソフトなどにアプリ作成を依頼した。日本の使用アプリはドイツやフランスと同じタイプ。スイスなど二〇カ国以上が同種の導入準備を進めているとされた。

プライバシー尊重の思想が、ココア方式を貫いていることは何より「記録の二週間後の消去」で明らかだ。「自由や人権を重んじる民主主義の価値観が表れている」「プライバシーに配慮しながらデータ活用のメリットを最大限生かしている」などと専門家の評価は高い。

ただし、普及率を上げなければ、効果は表れないのが難点だった。技術思想はよかったが、実際のテクノロジーに不備があった。

コロナ対策で浮かび上がった国民生活支援金の大幅な支給遅れ。二〇年六月、行政サービスの異常なもたつきに批判を浴びた安倍晋三政権は運転免許証など国家資格証のデジタル化やマイナンバーカードとの一体化に向け動き出す。当時二割足らずしか普及していなかったマイナンバーカードを個人情報の「ベース」に据えた。

二〇年九月、首相に就任した菅義偉氏は「デジタル庁」の新設を公約として掲げる。「マイナンバー制度と、国と地方のデジタル基盤を抜本的に改善する必要がある」との考えからだ。デジタル化の遅れを招いた縦割り行政を打破し、デジタル化を推進するための統合的な政府組織の創設にようやく乗り出す。

その方向性は正しかったが、マイナンバー登録の誤りなど手続きトラブルが続出、運用面でつまずいたのは周知の通りだ。

登録の誤りの中には、〝日本ならでは〟のものもあった。たとえば住所。われわれは正式名で住所を書かない。「二丁目一の三」とか「二―一―三」、「二・一・三」、「2・1・3」などと書く。しかし、コンピュータで照合すると「一致しません」と返答してくる。これが健康保険証のひも付け間違いを生んだ。

デジタルシフトは進めるべきだが、これを国民監視のツールにしてはならない、というのが民主主義社会の基本原則だろう。個人情報を勝手に商用目的や政治目的に利用してはならず、プライバシーは保護されなければならない。

市民側として要注意は、武装解除され、個人情報を言われるままにそっくり渡して〝丸腰〟になってはならない。利便性を得るためのスマホでの「クリック同意」には、常に慎重な対応が必要だ。個人情報は何者かに悪用され、ネットに拡散される恐れがある。

玄関の扉が深夜、不意にノックされた場面を想像すると、状況が分かりやすい。ネット環境は見えにくい「深夜」であり、ドアのノックは情報サービスへの「誘い」だ。「招かれざる訪問者」

に対しては、うかつにドアを開けてはならない。

コロナ対応の国民給付金のように、早く確実に支給を得るためには行政の緊急用給付金を受け取る「市民個人の専用窓口」が必要になろう。

マイナンバーカードにひも付けされる金融機関の預貯金口座がこれに相当するが、市民側としては受け取り専用窓口として「一口座」に限り知らせる。あとは一切伏せておく必要がある。

金融情報が漏洩して盗まれたり、悪用されたり、要らない心配をしないための当然の生活の知恵である。政府が二〇年六月、マイナンバーと預貯金口座のひも付け構想を表明した際、高市早苗総務相（当時）は「一人につき一口座」を考えているとした。

むろん、当面はそれで行ってもゆくゆくは「全預貯金口座」へのひも付けを政府は言い出すだろう。税金をあまねく取るために財務省が要求してくるに違いないからだ。だが、政府支給金の専用受け皿には「一人一口座」で足りる。この「ひも付け口座数」はいずれ政治の一大争点になることだろう。

「プライバシー保護」の広義には、「プライバシーが侵される不安からの保護」も入るはずだ。

「一人に付き全預貯金口座をひも付け」となれば、政府に全ての預貯金財産とその支出入を把握され、市民は〝武装解除〟されるに等しくなる。個人の財産保有・運用情報が全て政府機関につつ抜けになれば、それが大規模に悪用されるリスクにさらされる。そのリスクに不安になり、あれこれと用心するだけで、煩わしい。

日本で最大の発行部数を持つ読売新聞は、「マイナンバーカードに預貯金口座をひも付け」と、すでに公に提言した。ひも付けは、ただし、「受領専門一つの口座」が肝心要だ。

あるべき対応のスケッチをざっと描いてみると――

コロナ対策を大義名分に、日本を中国のような監視国家に近付けてはならない。

別種のウイルス感染が再びパンデミックとなった場合、その抑止アプリでは、接触検知のみで位置情報を付けない現行の「ココア」モデルを基本に、技術改良を加えて支障なく実用化する。キャッシュレス決済の買い物履歴や居場所や会話情報は、外に漏れないようにする。

一般人の信用度を国が格付けする中国式の「信用スコアリング」は決して採用しない。マイナンバーカードは、海外の先進民主国モデルから学習し、さらに個人情報保護に徹した利便性の高い改良独自版を編み出す。

一方、デジタルシフトに対応するため、政府自らが情報公開対策を一新しなければならない。公文書や統計の改ざん、隠蔽の完全防止と共に、情報公開と公文書保存、個人情報保護を徹底し、国民に知らせる義務を公的機関に徹底して守らせなければならない。

高評価できる「ココア」も、運用の仕方によっては監視装置に変わりうる。ココアと同じブルートゥース方式の接触確認アプリを利用する英国では、利用者の同意を得て監視・追跡できる位置情報を使う仕組みになっている。他方、シンガポールやオーストラリアでは、利用者の特定に繋がる電話番号などを登録させる。

いまのところ日独仏方式が、政府に市民の個人情報が握られない民主主義国に最もふさわしいウイルス対策アプリのようだ。政府による利用目的外の使用や位置情報との結合を許せば、国家による秘密の個人監視・管理をアッという間に実現してしまう恐れがあることに要注意だ。

この点で「AI・ビッグデータ・スマホ・監視カメラ」を一体化しフル活用する国民監視大国・中国を念頭に、日本は最先端の民主国モデルを構築しなければならない。

監視国家が脅かす「自由のインフラ」

デジタル資本主義の勃興とコロナ・パンデミックの相乗作用を受け、国際論議が急速に活発化したプライバシー保護問題。ここで、AI時代のプライバシーの重要性について考察をもう一段掘り下げてみよう。

プライバシーの確保は、民主主義・自由主義の柱であり、市民の自由の拠り所である。これを無視して個人の自由世界(内面)を踏み荒らすのが、強権統制国家の手口である。

プライバシーを侵害されるとは、一体どういうことか?最悪モデルの中国を引き合いに考えてみよう。

中国では位置情報で人々の居場所、移動先が把握される。通信情報で会話や連絡の相手と内容が。さらに医療情報で健康状態が。決済情報で買い物や保有金融資産、銀行預金の収支が、中央政府や地方政府に把握され、管理される。

ひとたび「反体制」と睨まれれば、その者はマークされ、体制が存続する限りこの監視マシンから抜け出せない。常時、監視される「囚われの身」となる。公安当局が公安上の理由から「怪しい」と睨むや、拘束され、実刑判決を被りうる。

それは監視社会の究極モデルである。監視される市民の側は、言論や集会の自由が得られず、不断の追跡の恐怖にさらされる。

自由の抑圧の中でやりきれないのが、介入してくる国家権力の手先に自分自身の「自由のインフラ」を始終、脅かされることだ。

自由のインフラとは、われわれが当然のように享受している自由な生活インフラである。それは三つの要素から成る。この一部が損なわれると、事実上、国家の「囚われの身」となる。

三つの要素とは、時間と空間、そしてコミュニケーションの自由を指す。「時間の自由」とは、「いま、自分がこうして自由に過ごしている自分の時間」のことだ。GPS（全地球測位システム）を使った位置情報と近距離無線通信による接触情報で、あなたの行動を知った当局から「あなたはあの時刻に、新宿のコーヒーショップで友人であるAさんと会った。カプチーノを飲みながら二時間ほど何を話していたのか」などと訊かれたら、ゾッとするだろう。国家権力による不当なプライバシー侵害で、この自分自身の時間の自由が恐ろしく脅かされる。

「空間の自由」とは、通常「いま、そこにいる自分の居場所、これから行こうとする場所という自分の空間」を指す。この自分の居場所が監視され、追跡されるとは不快きわまりない。自分の大切な空間に断りもなく入ってくるとは、住居侵入の一種ではないか。居場所の自由を侵され、うっかり自由に動けないということは、軟禁されるに等しい。軟禁の挙げ句、逮捕の危険もある。

「コミュニケーションの自由」はどうなのか。言論の自由が基本的人権の重要な要素であり、民主主義の共通の基盤であることは言うまでもない。

「盗聴」と呼ばれる通信傍受は、捜査当局が用いるスパイ行為だ。これを安全保障対策とかウイルス感染対策を名目に、国民の同意もしくは黙認を得て大々的に取り入れたい、というのが、強権国家の政府の本音である。誰がどんな話や言葉のやりとりをしていたか傍受できれば、政府にとって不都合な真実を察知でき、民衆を意のままに支配することが可能になる。

米国の情報機関NSA（国家安全保障局）は二〇〇一年九・一一の大規模テロ以後、西側同盟国首脳に対してまで通信傍受を行っていたことが、元米CIA職員のエドワード・スノーデンによって暴露された。スノーデンは米NSAが、敵国政府の活動だけでなく、自国の市民や同盟国まで密かに、非合法に監視していた隠密活動を明かしたのだ。当時、IAからマークされていたドイツのメルケル首相がターゲットになったことは間違いない。

これはわれわれのプライバシーが、いまや自国の政府機関だけでなく外国の政府機関によっても侵されうることを示した。言い換えれば、米NSAは海外でも泥棒になって個人の自由なはずの内的世界にいつのまにか無断で入り込み、欲しいものを物色していたのだ。

安全保障やウイルス対策を口実に、監視社会化はもっと進みかねない。ということは、この問題をこれ以上放っておくわけにはいかない、ということだ。

民主主義国における監視社会化は、時に政府と国民の立場の逆転をも示す。国民を代表する政府が、本来の主役である国民を一方的に監視・支配する側に回るからだ。

「Society（ソサエティ）5.0」――日本が二〇一六年一月に提唱した、新たな未来社会のコンセプトだが、その運用に対しても注意が必要だ。

Society 1.0が人類黎明《れいめい》期の狩猟社会、Society 2.0が農耕社会、Society 3.0が工業社会、そしてSociety 4.0が情報社会。これに続く第五の飛躍がSociety 5.0である、とする。デジタル・イノベーションによる新社会の創出とＡＩの活用による社会課題の解決を目指すという。

この未来社会を実現するには、個人情報、法人情報、公的情報の収集と活用が前提となる。公的なビッグデータ、地域の行政情報、企業や個人の情報を蓄積して結び付け、課題解決に生かそうというわけだ。

しかし中国のコロナ対策で明るみに出たように、感染の収束に寄与したスマホの位置情報は、そのまま市民の監視にも使われる両刃の剣となる。コロナ対策後は、市民の反政府行動への強力な監視ツールとして政権に一層重宝される恐れが強まる。政府のプライバシー無視の国民監視は、むろん民主主義理念と相容れない。

こうしてコロナ感染対策で政府が活用したデジタルツールに対し、市民側は自らアラートを発し、自律武装する必要が生じる。

しかし、監視対反監視の争いの解決は一筋縄でいかない。ウイルス禍が広がる中、接触確認アプリの効果を増すために英国式に位置情報を付け足す選択肢が取られる可能性は、大いにある。そうなると「目的の範囲」を逸脱してプライバシーがいつのまにか侵害される可能性が開かれ、中国の監視型社会に近付く恐れがある。

プライバシー侵犯が最も懸念されるのが、感染拡大が収まらずに間歇《けつ》的に長期化したり、悪性の新型ウイルスが再発生した場合だ。より強力な抑止効果を求めて政府がココアに位置情報を加えてくるかもしれない。都道府県などの自治体が、その独自アプリに位置情報を付け、対策に万全を期そうとするかもしれない。

その場合、市民の多くはプライバシー侵害を恐れるより感染防止の効果を重視してアプリの機能強化をむしろ歓迎し、受け入れる恐れはないか。人々はウイルスの脅威が増すほど「安心できるほうがいい」とばかりに、プライバシーが侵害されやすい位置情報システムなどをよしとする可能性が高まる。

だが、それよりももっとありそうな危険性は、地方自治体レベルで感染抑止効果を高めようと、プライバシーを侵害する感染対策アプリを勝手に採用してしまうことだ。

というのも、自治体が制定している個人情報条例に、このリスクが潜んでいるからだ。個人情報条例は地域によって規定や運用が異なる。

都道府県の多くは、独自に接触アプリの仕様を決め、運用できる。たとえば、東京都は新規感染率が突出しているため、利用者の同意を得て特別なアプリを使う、という具合にだ。この場合だと、英国式の「同意を得て位置情報利用」の方法になりやすい。

一方、行政機関の保有する個人情報（たとえば納税や年金記録）の扱いについては所管省庁の自主的な管理が基本となる。これに対し個人情報の取り扱いについては外部の監督機関はマチマチだから、監督・監視に統一性が欠け、規律が緩みやすい。

感染対策アプリの実効性を上げようと、行政がいつの間にか市民が知らぬ間に個人の監視・追跡アプリに変身させてしまう可能性も否定できない。その措置が肝心の知事など行政の長に報告されない結果、自治体トップが知らないことも考えられる。目的外の利用や位置情報アプリの結び付け、データ保存期間の意図的な延長などによる変身が、〝いつのまにか〟起きるケースがありうる。

行政当局が使用目的を市民に説明せずに勝手に行う恐れもある。近年続いた役所による公文書の偽造や隠蔽、あるいは統計の操作、改ざんをみれば、そうなる疑いは拭えない。

こうしてウイルス感染対策アプリは警戒を要する。これがいつしか政府や自治体の市民監視・追跡のツールとならないためには、目的や考え方、運用法を「見える化」しなければならない。

この「見える化」を常時、実施するためには、第三者監督機関の設置が必須となろう。われわれ個人情報の主人公は、このことを心して、AI・アプリ問題に注意深く対処しなければならない。

以上述べたことの本旨は、欧州連合（EU）が二〇一六年四月に明らかにした一般データ保護規則（GDPR）の個人情報取り扱いに関する基本原則に盛られている。

同原則は六項目から成り、はじめに原則を掲げる。

個人データは「適法・公正・透明性」の三態様で取り扱われなければならない、と。

次に「目的の限定」を挙げ、個人データは「特定され、明確かつ正当な目的のために収集されるものとする」と断じる。そして追加的取り扱いは「当初の目的と適合しないものであってはならない」とクギを刺す。

第三に、個人データの取り扱いは目的に照らし、必要のあるものに限定されなければならない、と「データの最小化」を求める。

第四が「正確性」だ。「正確であり、最新の情報の状態に維持しなければならない」。

第五は例外的な「記録保存の制限」。「目的のために必要な期間だけ」に適用されるとし、公共の利益や科学的、歴史的研究あるいは統計の目的である限り、例外的にその個人データを長期間、記録保存できる、と明記した。

第六に「完全性と機密性」。これは個人情報のパーフェクトで無傷な保護を求めたものだ。

ドイツでは、この規則に沿って感染症対策アプリに日本と同様にブルートゥースを利用し、氏名や電話番号の記入を要求せず、位置情報も使わない。

日本のアプリ「ココア」の仕様決定に関与した平将明副内閣相（当時）が「おそらく世界でプライバシーに最も配慮した接触確認アプリだ」と評価したのも、各国のアプリと実際に比較した上でのことだろう。

ビッグデータ時代が到来する中、コロナ給付金支給遅延に表れたデジタル化の立ち遅れ問題が表面化し、個人情報の利用は今後、急速に進む見通しだ。

ここで全国の自治体の「二〇〇〇個問題」が浮かび上がる。総務省によると、全国の都道府県や市町村などの自治体は全て個人情報保護条例を持つ。複数の自治体の広域連合で独自の条例を定めているケースを加えると、全国で約二〇〇〇もの別個のルールがある。これが情報共有を妨げ、データのやり取りの手間やコストがかかってしまう問題を生む。

各自治体が独自のルールでデータを取り扱う現状だと、たとえば大規模な豪雨災害や震災で被災者が広域に避難する際、受け入れ自治体は個人情報の取り扱いルールの違いから混乱し、迅速な対応を妨げられる。自治体が持つ個人データを企業に提供するような場合も、手続きが様々で大混乱が生じうる。多発する地震・津波の二次被害を予想外に大きくしてしまう。

個人情報保護法のルールの統一作りも欠かせない。

未来社会のシナリオ

「Society 5.0」の方向性は、はっきりしている。個人情報や企業情報、公的情報の利活用を前提とし、その中核に身分証明書となるマイナンバーカードを位置付ける。これにどのような利便性を付加し、国民の間に不可欠な携帯カードとして普及させていくか。「持っていて役に立つ、行政・医療手続きに労力、時間がかからない」と「自分の個人情報が悪用されない」という二つの命題が現れる。

マイナンバーは生涯不変で二つとない。12ケタの個人番号を全ての国民に一人ずつ重複なく付けられる。

この全国民番号制に個人情報をひも付けすることで、国民各人の情報管理が容易になり、社会保障や税、災害対策などに活用できる。一方、ハッカーなどにより個人情報が盗まれ、プライバシーが侵される危険性が高まる。この問題にどう対応するか。

マイナンバーのプライバシー侵害訴訟で、注目すべき主張がなされた。

プライバシーを侵害するとしてマイナンバーの利用差し止めを住民が国に求めた福岡地裁訴訟。福岡地裁は二〇年六月、「個人情報の漏洩や目的外利用を防ぐための法的、技術的措置がとられている」とし、請求を棄却した。全国八地裁に起こされた同様の訴訟で、いずれも請求が棄却された。だが注視されたのは、個人情報に関する原告側の主張だ。

原告側はこの裁判で、自己情報コントロール権を「人格的生存に欠かせない権利」と位置付けた。そして、この権利が憲法一三条（個人の尊重）によって保障されている、と主張した。

原告によれば、マイナンバー制によってこの自己情報コントロール権を奪われ、国民の思想、信条、宗教、健康などに関するセンシティブな情報が、国家や他者に集積され監視される状況が生じる。さらに、情報漏洩や目的外利用による侵害の危険性もある。行政機関からの特定個人情報の漏洩の危険性はとくに高い、とした。二〇一五年、サイバー攻撃を受け日本年金機構から一二五万件にも上った個人情報流出事件が、その危うい先例となる。

この原告側の主張は、プライバシー保護論の根拠とされた。

一方、これら訴訟を契機に政府側の対応も進んだ。改正個人情報保護法が二〇年六月に公布され、一定の改善がみられた。たとえば個人情報の利用停止・消去などの個人の請求権について、個人の権利や正当な利益が害される「恐れがある場合」に要件を緩和した。

政府はマイナンバーカードの普及活動に本腰を入れ、活動を活発化した。カードの利用機能アップと、マイナポイント作戦を推進する流れが加速した。

政府は、二〇一六年一月からマイナンバーカードの交付を開始。「二二年度末にはほとんどの住民がカードを保有」という目標を掲げ、マイナンバーカードに次のような機能を持たせることとした。

- 個人番号を証明する書類として利用
- 各種行政手続きのオンライン申請
- 本人確認の際の公的な身分証明書
- 民間各種のオンライン取引に利活用
- 様々なサービスを搭載した多目的カード
- コンビニなどで住民票、印鑑登録証明書などの公的証明書を取得

問題はマイナンバーカードの使い方だ。素晴しい活用法も考えられる。カードを、スマホに搭載して活用すれば、形骸化の恐れがある民主主義的手法を活性化させる方法も可能になる。普及したマイナンバーを使って直接民主主義行動に結び付けるのだ。

たとえば投票所に行く代わりにマイナンバーカードで生体認証により本人確認し、スマホを使って投票する。原発再稼働や大規模インフラ建設の是非など地域の重要問題について、それを活用して直接住民投票を行えるようにする。

マイナンバーカード携帯のスマホは市民が〝打てば響く〟民主主義政治にするための格好のツールにもなりうるのだ。コロナ危機はデジタル技術のよい選択肢をも炙り出したのである。

（注34）岡田尊司『対人距離がわからない』（ちくま新書）

Ⅵ

明日の自分

終わりに、美しさありき

パラダイムシフトを迫る

コロナ危機が引き起こした劇的な衝撃のもう一つは、旧来の経済の仕組みと社会保障制度の大変革を促したことだ。問題が深刻化し、根本的な解決が〝待ったなし〟の切迫状況となった。

コロナ禍で最大級の打撃を被った個人事業主やフリーランスらは、仕事を失ってたちまち生活が立ち行かなくなった。日銭でやり繰りしてきた零細の飲食店は、客足が絶えて万事休した。観光・宿泊業者は外国人訪問客が突然途絶え、頼りにしていたインバウンドも消失して次々に閉店、休業を余儀なくされた。

この異常な災厄は、容赦なく拡大し、「明日、自分はどうなるのか」というわが身の不安を世界中に引き起こした。それは「明日の世界」への不安でもあった。ここから生の不安の解消への模索が始まる。

たび重なる緊急事態宣言による営業制限で大打撃を受けた外食や観光産業では、官民一体の資金繰り支援で下支えされ、倒産件数こそ大きく抑えられたものの休廃業・解散が相次いだ。

全国企業の休廃業・解散は、コロナの感染拡大第一期の二〇二〇年一～六月は、計約三万件に上り、旅行代理店など旅行業では、同期間で過去最多を記録した（注35）。

雇用面で最も深刻な影響を受けたのが、人と人とが接触する接触ビジネスの飲食・レジャー産業である。

雇用への影響がただちに表れた米国では、コロナで「失われた一〇〇〇万人」の雇用者数のじつに半数近くを飲食・レジャー産業が占めたと報じられた。ニューヨークのレストランはロックダウン後二〇年九月末に店内飲食を再開したが、感染防止のため座席使用率を定員の二五％までに限ったことから、売上げを大幅に落とした。ニューヨークのブロードウェーでは、上演が次々に延期され、再開は二一年明けとなったが、その後の感染拡大でさらにずれ込んだ。

日本では、経済活動は第一次緊急事態宣言後、三カ月ほど停止状態が続き、二〇年四月～六月の第2四半期の経済成長率はじつに年率マイナス二〇％を超えた。プロスポーツの試合は、新型コロナ・デルタ株の感染拡大から無観客か大幅な観客制限を余儀なくされた。東京オリンピック・パラリンピックは一年延期され、無観客開催となった。

日本は困窮者への支援給付金ばかりか経済回復でも、ワクチン接種が先行した米欧への遅れが鮮明となった。コロナ禍は国際間においても経済格差の拡大が顕著となった。

コロナのパンデミックと共に世界はリーマン・ショックを超える経済危機に陥った。経済のパラダイム（枠組み）シフトが起こらざるを得なくなった。従来の経済の仕組みでは人々の多くが安心して暮らしていけなくなったからだ。

コロナ禍は、それ以前から取り組み始めたか始まろうとしていた行政や教育、医療、社会保障の分野での問題解決を急がせた。非常時対応と大がかりな改革への取り組みを否応なく加速した。

デジタル化が遅れていた日本では二一年九月にデジタル庁を新設、デジタルトランスフォーメーション（DX）推進に火が付いた。

しかし、コロナ禍が社会にもたらした、もう一つの予期せぬ重要な「発見」に注意しなければならない。

政府の国民一人当たり一律一〇万円給付が、遅ればせながら人々の生活をひとまず支え、安心感を与えたことだ。

友人のパブ経営者の喜びの言葉を思い出す。

「やっと貰えた。ホッとした」。久々に笑顔をみせた。この友人は東京練馬区に住んでいるが、感染発覚から五カ月後の二〇年六月半ばに、ようやく銀行口座に振り込まれたという。安倍内閣が支給を決めてから二カ月も経過していた。「まだか、まだか」と気をもんでいただけに、嬉しさもひとしおだった。

安倍総理　おぼれる者に　ワラ配る

これは毎日新聞の川柳に選ばれた一句（二〇年四月二八日付）。「アベはマスクしか配らない」と風刺した。収入がみるみる減る中、人々は現なまを得て、ようやくひと安心したのである。

究極の安全網ベーシックインカム（ＢＩ）

コロナ禍の中、世界で盛り上がってきたのが、ベーシックインカム（ＢＩ＝Ｂａｓｉｃ　Ｉｎｃｏｍｅ　Ｇｕａｒａｎｔｅｅ）の導入論だ。理由は、コロナ禍でじつに多くの人が国や自治体からの生活支援を緊急に必要とするようになったためだ。

ベーシックインカムとは、個人が最低限の生活をするために必要とされるベーシック（基本的）なインカム（所得）を国が定期的な現金給付の形で保障する制度である。財産とか仕事の種類とか男女に関係なく、国民全員に現金を与え、基本的な最低生活を保障するシステムだ。コロナ対策で政府が実施した国民一人一律一〇万円の特別定額給付金は、ベーシックインカムと似たコンセプトである。

ただしＢＩは災害救援のための一時の緊急措置ではない。経済政策として、継続的規則的に無条件で全国民に給付する必要最低限の所得保障を指す。

だが、「財源はどうするのか」。ＢＩに対しこの財源上の反論が、決まって起こってくる。

ＢＩ論議は、最低所得保障などの見地からコロナ以前に遡る。世界のそこかしこで、社会実験が盛り上がってきたのは、ここ一〇年ほどのことだ。コロナのパンデミックで注目度はさらに高まった。

多くの国・地域でこれまでに条件付きか小規模に絞って、社会実験が行われた。米国では古くはノースカロライナ、ニュージャージー、アイオワ、アラスカの各州で、二〇一九年にはカリフォルニア州ストックトン市（人口三一万人）で実施された。

ストックトンでは、ランダムに選ばれた一二五人に「月五〇〇ドル二年間支給」の実験で、不安やウツ気分の減少、雇用改善などの成果が報告された。二〇年六月には、ロサンゼルス市など一一都市がBIを推進する団体を設立し、五都市が試験的な導入を始めた。

二〇二〇年の米大統領選挙では、民主党の予備選に立候補した台湾系のアンドリュー・ヤンが、国の税金を支払わないIT大手に対する課税を財源にBI政策を訴え、若者の支持を集めた。

ブラジルでは、二〇二〇年にリオデジャネイロの一部で低所得者向けに現金支給プログラムを実施。欧州では二〇一七年にフィンランドの二年間の実験的施行に続き、イタリアが一九年に低所得層向けに、ドイツが一年間の実験を経て二〇年に受給者一二〇人に月額一二〇〇ユーロ（当時約一八万円）の三年間支給を決めた。

アイルランドは二二年春、アーティスト二〇〇〇人に芸術を繁栄させるため三年にわたり一週間当たり三二五ユーロ（約四万六千円）支給するパイロットプログラムを決めた。韓国では二二年三月の大統領選挙で敗れた与党候補がBIを公約に押し出して波紋を投げた。日本では、二一年の衆院選挙で日本維新の会がBIを公約に掲げた。

最も注目されたのが、二〇年八月に始まったドイツのBI実証実験だ。国民全員に生活に必要とされる現金を無条件（unconditional）に支給するという理念の下、敢えてＵＢＩと名付ける。周到な準備で臨み、民間基金の導入を考えるなど、制度の持続可能性を重視した。

実証実験の第一段階は、一五〇〇人の被験者の採用。うち一二〇人が無作為に選ばれ、一人当たり月額一二〇〇ユーロの三年間無条件支給が決まった。残り給付なしの実験参加者は、ＵＢＩの効果を確かめる比較対象グループとされた。

実験参加者は、ＵＢＩを貰っても自由に収入を得ることができる。ドイツの永住者で一八歳以上なら誰でもオンライン申請で参加が可能だ。登録した人から参加者が選ばれる。

選ばれた一二〇人に三年間、ＵＢＩを毎月支払うには約五二〇万ユーロ（本校執筆時点で約六億四〇〇〇万円）の予算が必要とされる。プロジェクトの資金は一四万人以上の民間の寄付者から集められる。社会貢献活動家ヨニ・アッシアが二〇一八年に創設したＵＢＩ支援組織「Good Dollar」も巨額の資金を投じる。将来ＵＢＩが実現すれば、開発中の電子暗号通貨で支払われる可能性もあるという。ドイツの壮大な実験が始まった。

ＢＩ実験は増加の一途

コロナ禍が皮肉にもベーシックインカムを本格検討する格好の機会を提供したことは疑いない。フィンランドが二〇一七年一月から一八年一二月までの二年間に行ったＢＩの実験運用の結果が、有力なヒントを与えるだろう。

実験ではランダムに選んだ二〇〇〇人の失業者（失業手当受給者）に対し、毎月五六〇ユーロ（当時約七万円）を支給した。フィンランド社会保険庁（ＫＥＬＡ）の二〇一七年分の調査結果によると、ＢＩ受給者は受給しない人々に比べ幸福度は上がった半面、仕事を得て就労率が向上することはなかった。

つまり、おカネを得て幸福になったが、あまり働きたがらないようだった。個人レベルは幸福、雇用レベルは不変化――これが、第一回の中間的な調査結果であった。

このことが意味するものは、明白だ。ベーシックインカムを得て幸福感を増したのだから、就労率は上がらなくても、受給者を取り巻く家庭や社会に、きっとよい影響を与えたる違いない、ということだ。生活が最低保障されれば、人は働かなくなる、ドラッグやアルコール、賭博耽溺者が増えるといった心配は無用だろう。幸福感が上がれば、人々が好きな仕事に熱中する、と考えるのが自然だ。

雇用状況と違って、こうした個人のウェルビーイング（幸福感）がもたらす社会的変化は、一般的に長期にわたってジワリと表れてくる（注36）。短期の統計的な把握は難しい。だが、個人が幸福感を得ること自体が、社会に好ましい影響を与える、とみるべきである。幸福になった彼（彼女）は、社会を好意的に、寛大にみる傾向が強まり、他者への理解や思いやりを増し、社会活動や消費も積極的になる事例が報告されている。

ウェルビーイングの考え方は、「個人の幸福度の向上＝社会の住みやすさの向上」という基本コンセプトから成る。ベーシックインカムの考え方に、このウェルビーイングの理念が反映されている。

ここで重要なメッセージが浮上する。

全ての国民を対象にした国単位の大がかりな導入例はまだないものの、各国自治体での社会実験は増加の一途を辿っていることだ。コロナ禍、非正規労働増、所得格差の拡大と新貧困層の広がり、高齢化、性差別問題、深まる将来不安などが背景にある。日本とは違い改革への熱い期待と意欲が感じられる。

米国では約四〇に上る市長がベーシックインカム導入を目指している、と報じられた。従来の福祉政策と違う「誰もが安心して暮らせる保障所得を」という区別なき普遍的なセーフティネットを求める声が、世界各地に広がってきたのだ。

多くのパイロット版の事例から、ベーシックインカムのメリットと好影響が浮き彫りにされてきたのも近年の特徴だ。ナミビアでは受給者の勤労意欲が上がり、仕事に一層喜びを見出すようになった。米アラスカでは出生率が著しく増加した。

ほかでも心身の健康の向上、幸福感、生活の満足度、子どもの学校の出席率の上昇、社会制度への信頼感の高まり、などが報告された。ＢＩ導入拡大の先に将来、豊かな社会が開かれてくる可能性が高まる。

導入を阻むのは、ＢＩがデメリットになるとみなす富裕層と高齢層の反対及び財源の壁だ。富裕層、高齢層の多くは、導入すれば税金が増える、怠け者が増える、自分たちが不利になる、などと反対する。そしてＢＩの導入には、巨額の原資が必要となるが、その財源をどう確保するか、と改めて問題視する。

米ピュー・リサーチ・センター社の世論調査によると、二〇二〇年夏の調査結果から米国民の反対が五四％、賛成四五％。が、その内容は年令や資産階層などで大きな差があった。

年齢は二〇代までは賛成多数、それより上になると反対が増える。黒人、ヒスパニック系に賛成が多く、白人は反対が優勢。高所得層と共和党支持者にも反対が多い。

スイスでは二〇一六年、ＢＩ導入の是非を問う国民投票が実施され、世界の注目を集めたが、有権者の八割近くが「反対」を投じて否決された。一人当たり月二五〇〇スイスフラン（当時約三〇万円）の支給プランに税負担増につながる財源問題が大きな争点となった。しかし、コロナ禍の二〇二一年、財源を明確にした新ベーシックインカム法案を掲げた市民活動が再び始まった。

ニクソン米大統領も賛同

ここでベーシックインカムを単に「所得の基本保障」という経済的カテゴリーを超え、もっと広い視点からみてみよう。

そこには「生きる意味」「労働の価値観」が関わってくる。どういう生き方が人間にとって一番幸福か――という哲学的問いの答えに関係してくるのだ。ＢＩ論議は本来、所得をベースにした生き方論議でもあるのだ。

ＢＩ支持、反対とも党派性を超える。支持者は、政治や経済の「右と左」を超えて後を絶たない。半面、反対者も「右にも左にも」数多い。早くは一九世紀英国の経済学者、ジョン・スチュワート・ミルが著書『経済学原理』で最低限の所得支給を提唱した。

ここでＢＩ支持者のうち、とりわけ重要と思われる英国の哲学者、バートランド・ラッセル、リチャード・ニクソン米元大統領、米経済学者、ミルトン・フリードマンらのＢＩ提案のコンセプトを指摘しておこう。

ラッセルの注目点は、その労働観にある。著書『In Praise of Idleness（怠惰讃歌）』で次のように言う――「近代社会の大いなる害悪は（既成）労働を善行とみなす信念がもたらした。幸福と繁栄への道は労働の組織的な減少にある」

ラッセルによれば、奴隷の労働ではなくヒマを持つ怠惰から創造的な価値と本人の幸福が生まれる。組織化され、効率化した近代労働が人間の創造性と自由を奪うと主張した。

ニクソン元大統領は、保守系トップの典型とみられている。だが、彼はマルチン・ルッサー・キング師（ＢＩに賛同）らの公民権運動を背景に、ベーシックインカムの考えを採り入れ、一九六九年に貧困者向けに「Family Assistance Plan」を提案、法案は下院を通過したが、上院で否決された。

フリードマンは、貧困救済のため一九六二年に著書『Capitalism and Freedom（資本主義と自由）』でベーシックインカムにつながる「負の所得税」を提唱した。救済への考えは、特定の職業、年齢層、賃金層、労働団体、産業に所属する人を助けるのではなく「貧しいから助けるのだ」とした。負の所得税とは、所得税を納められない一定基準以下の貧困層に対して、逆に「国の補助金を相応に支給する」というものだ。

フリードマンは、「左」から嫌われたノーベル経済学賞受賞の保守系学者だが、「負の所得税」案は実現可能性において示唆に富む。

コロナが、ベーシックインカム（ＢＩ）の実現可能性を一気に高めた歴史的な要因といえる。日本で実施された一人一律一〇万円の特別給付は、コロナ禍で仕事を突然失った人々をとりわけ厚く救援した。緊急避難の生活資金となった。これを次のように考えてみる。

コロナ継続対策としてまずは一年続け、安心してもらう。その間に仕事を失った人には起業や再就職などの形で人生を再設計してもらう。この支援が大災害に対する政府の役割ではなかったか。コロナ禍は、急な失職や休業、それによる大幅な収入減で、業種や仕事によって生活が立ち行かなくなる人を大勢生んだ。月々の家賃や光熱費、水道代、通信費を払っている人は、たちまちその日の生活に切羽詰まった。

コロナ禍で、演奏活動する音楽家がいい例だ。演奏会の中止が続き、この間無収入では生活していけない。食っていくには、家族を養っていくには、芸術活動を断念し、一時的に不本意な転職をせざるを得ない状態にもなりうる。転職のドタバタ状態で練習もろくにできなくなり、立ち直りを困難にする。

芸術家がそのようになれば、社会の文化的損失ともなる。その穴は短期間では埋まらない。芸術・文化活動を欠いた社会は、精神的な潤いのない干からびた社会となる。

そこで国民向け現金支給を、少なくともコロナ・パンデミックのような非常事態下で完全収束するメドが立つまで継続すべき、とする考えが出てくる。

「国民一人一律一〇万円」のような現金給付が毎月継続される仕組みを想定してみよう。

従来型の公的現金給付だと、失業保険のように支給対象に細かい条件が課される。申請する必要があり、審査があって受給資格者と認められても、ふつう支給までに相当、時間がかかる。

コロナが引き起こした休廃業、解雇・雇い止めで国の困窮者向け家賃補助「住居確保給付金」の申請者が急増したが、これも同様に手続きと時間を要する。対してＢＩでは、世帯でなく国民全員に無条件かつ定期的に現金支給される。

一方、憲法二五条が規定する「健康で文化的な最低限度の生活」を保障する生活保護は、個々の世帯の生活苦からの保護であり、コロナのような全面的な非常事態には役立たない。

ベーシックインカムは、誰にでも襲いかかる突然の不運や災厄に対して無条件で最低限の生活を保障するシステムだ。それは生活の安心を国民全てに究極的に与える究極のセーフティネット、と言ってよい。それは非正規雇用者やフリーランスら第一号被保険者が直面する公的年金制度の不備からくる将来不安と高齢者の生活困難をも解消する。

ＢＩの検討に際し、生活困窮者のセーフティネットについて現状をみてみよう。政府は究極のセーフティネットを「生活保護」とみなしている。菅義偉首相（当時）は二〇二一年一月の参院予算委員会で、コロナの感染拡大で生活に苦しむ人々への対応を質され、「政府には最終的に生活保護という仕組みがある」と述べた。

だが、制度は安心からほど遠く、生活保護利用者の心情は抑圧される。日本の風土では「労働は美徳」「働かざる者食うべからず」の道徳観が根深い。身の縮む思いで申請するのではないか。世論の生活保護への風当たりを受け、政治も厳しい姿勢をみせる。

安倍政権（当時）は発足直後の一三年一月、生活保護の食費、光熱費など生活費にあたる「生活扶助」の支給額を三年がかりで平均六・五％、最大で一〇％、六七〇億円削減する方針を決定した。全国二九地裁で違憲・違法の集団訴訟が起こる中、名古屋地裁は国の減額決定を適法として正当化した。その判決理由の一つに、国の財政事情と共に「国民感情を踏まえた考慮」を挙げた。つまり、世間に広がる「生活保護バッシング」感情を裁判所が追認した格好となった。

これに対し控訴審の名古屋高裁はまっとうな判断をした。二三年一一月、原審を取り消し、違法な行政措置で原告らに精神的苦痛も与えたとして、国に一人一万円の賠償を命じた。

判決理由として、厚生労働省が支給額の引き下げ改訂に際し、裏付けのない勝手な判定基準を用いた点を挙げた。「デフレ調整」と称して、厚労省が独自に行ったデタラメな判定を「違法」と断じたのだ。

一審の名古屋地裁が認定した、国民感情に影響したとされた一部の不正利用は、別の例外的な問題である。生活保護の申請は、仕事を失ったり、高齢で就労できない、自営業が続けられなくなった、などの生活苦から追い込まれてやむなく行われたもので、実情は多くの人が罪悪感や恥辱感で自分を責めている。

生活保護制度は、こうして受ける当事者に安心感と制度への信頼感を与え損なっている。失敗したセーフティネットと言うほかない。

もう一つの社会保障の欠陥システムが、公的年金制度だ。

現行の国民年金制度では、本稿執筆時点でフリーランスや非正規雇用者、自営業者らは保険料月々約一万六六〇〇円を二〇歳から六〇歳未満まで四〇年間毎月、満額納付した場合でさえ、老後の年金支給額は毎月基礎年金の六万六千円余プラス五千円余の七万一千円程度。これでは暮らしていけない。こうして老後、多くの高齢者が困窮した挙げ句、生活保護になだれ込む。

生活保護と年金制度に代わる本物のセーフティネットを構築しなければ、日本の将来世代の老後は危ぶまれる。結局、究極のセーフティネットの選択肢は、ベーシックインカムに行き着くだろう。

ＢＩの財源問題

仮にＢＩが月一〇万円とすると、現行の社会保障制度のかなりの部分を代行できる。貧困者や無職者、ワーキングプア、家庭内介護者も救済され、生活にゆとりがもたらされて少子化も改善できるだろう。

課題の一つは、ＢＩによって代替される社会保障給付費からの財源捻出だ。

厚労省によると、二〇二三年度の社会保障給付費（予算ベース）は一三四・三兆円。うち医療費の四一・六兆円などを除く年金給付金は、対ＧＤＰ比一割に相当する六〇・一兆円の財政規模となる。うち四割が公費、六割が保険料で賄われる。

財源捻出の一手段として、社会保障の「現金給付部分」の全額置き換えが考えられる。ＢＩで賄える基礎年金をはじめ失業給付、生活保護費などが置き替えの対象になると想定される。

ＢＩに代替されれば、年金や失業保険を支えてきた会社員や事業主の負担はなくなる。

一方、社会保障制度で「現金給付」以外の公的社会サービスは、ＢＩに置き換えが不可能だ。医療、介護などが相当する。これらのサービスは、ＢＩとは無関係に維持される必要がある。

ＢＩとの置き換え効果を「基礎年金」を例にみてみよう。基礎年金の月給付額は国民年金と同額の月約六万六千円となる。仮にＢＩが七万円超なら、基礎年金に置き換えられても余裕ができるかもしれない。しかも、ＢＩは個人向け全員支給なので、子どもも各自受け取れる。

生活保護の現行制度は置き換えられ、厳し過ぎる手続きや審査で利用者が困惑したり恥辱感を味わうこともなくなる。

現行の欠陥多い社会保障制度の仕組みをＢＩの導入でどのように変えるか。これが、いずれ重要テーマとして政治に浮上するのは必至だが、政治と国民がこれにどう応えるか――ベーシックインカム導入のカギとなろう。


財源の捻出については、そもそも二通りの方法が考えられる。「常識的手法」と「常識外の新手」だ。常識的手法の一つとして消費税の増税が論議されようが、これは禁じ手となる。増税すればＧＤＰの半分以上を占める個人消費を直撃し、経済生活を冷やす。三〇年に及ぶ日本経済の停滞をさらに長期化させること必至となる。

もう一つ、常識的手法として眠ったり埋もれていたり、ムダ遣いされている公的資金を活用する道がある。〝使われない公的資金〟の洗い出しとＢＩへの財源活用だ。まずは国の特別会計（特会）や基金が対象となる。

一般会計予算の数倍の規模を持つ特会の場合、その予備費、剰余金（歳入歳出の差額）、積立金、不用額（使い残し）などに巨額の休眠資金が潜む。

余剰資金の豊富な外国為替資金特別会計（外為特会。同特会の米ドルで保有する剰余金が、二〇二二年春以来円安ドル高の進行で急激に膨らんだ。財務省によると、二二年度は三・四兆円町に、見込み額より〇・六兆円超跳ね上がった。予算に計上しながら使わなかった特別会計の不用額も急増。二二年度は前年度比一・八倍の一一・三兆円超に上った。

塩漬けになった予備費も見逃せない。二〇一四年度以降、二一年度までに毎年八千億円前後に上ることが判明した（日本経済新聞ウェブ版二〇二一年二月一日付）。

国の基金は、コロナ禍を機に増え続けたが、約一九〇ある事業の二割以上で数値目標が設定されてない。ムダ遣いの温床になりうる（朝日新聞二〇二三年一一月二九日付）。

政府支出の交付金、補助金、出資金、補給金などと共に、税控除の見直し・整理も必須となる。同時に、炭素税やプラゴミ税など環境税の新設や空き家新税などが考えられる。独占的地位から巨額の利益を得るＩＴプラットフォーマーへの国際的な収益課税も選択肢となる。

将来の経済成長を視野に入れた常識外の新財源はどうか。その奥の手の一つと思われるのが「永久国債」ではないか。永久国債とは、償還期限を定めない国債。利子は払われ続ける。発行主体の政府は、いつでも償還できるオプションを持つ。財政改善にメドが付いた時機に償還すればよいのだ。

日本でも幕末期の一九世紀前半、天保の改革（一八四一～一八四三年）に前後して、薩摩藩が償還期限二五〇年という事実上の永久国債を発行した。この異例の措置で砂糖の専売強化と併せ、窮迫した藩財政を立て直したとされる。その財政効果は歴史上、既に実証済みなのだ。

　海外では英国が永久国債で世界の先を行った。中央銀行イングランド銀行が永久国債のＣｏｎｓｏｌ《コンソル》債を一七五一年に発行。米国もコンソル債を一八七七年から一九三〇年まで発行し、米政府のオプションで償還を全て終えている。

　英国政府は利払い費の軽減を目的に、一八世紀以来の全ての永久国債の償還を二〇一四年一〇月に決定し、一五年七月に全償還を完了している。この永久国債の中には、一八世紀の南海バブル事件当時の債務や第一次大戦時の戦費調達用も含まれるという（注37）。

　こうした内外の思い切った財政改革の先例から学ぶべきである。日本政府・国会は窮余の新財源に永久国債を考えるのも「次の一手」だ。これを国内の富裕層の個人や企業向けに「防衛国債」などとして販売をするイメージである。

　この際、マネーシステムの抜本改革を考える仕事も欠かせない。公共貨幣理論は、「信用創造のカラクリ」が貨幣システムの大欠陥とみる。現行システムは、マネーの実需によってではなく。銀行が企業や個人に「利付き借金」として資金を貸し出し、お金の価値を増やしていく信用創造のメカニズムで動く。

『公共貨幣入門』（山口薫・山口陽恵共著）によれば、この銀行の貸し出しシステムで日本のマネーストックのじつに九九％が利付き債務として経済に供給されている。預金は顧客からみれば貨幣の機能を有する金融債権（資産）だが、銀行からの借入金という金融債務（負債）でもある。銀行は預金の貸付により新たな預金を増やし、それを貸付に回す「信用創造のカラクリ」によって不動産向けなどに度外れの融資に走った。これがバブルの発生と崩壊、「失われた三〇年」をもたらした、というのが公共貨幣理論の見立てだ。

日本経済は二四年の年初から一月の新NISA開始と海外投資家の大量の日本株買いを受け、驚異的な株価急騰を続けた。日経平均株価は三月にはバブル崩壊直前の一九八九年末に付けた史上最高値三万八九一五円を更新して四万円台に達した。

だが、この株式市況の異変には海外投資家の期待値が相当に働いた。日本経済が本格的に復活するには、マネーシステムの根本改革が重要な選択肢となることは疑いない。

時代の産物としてのBI

デジタル資本主義の昨今、超富裕層のトップ一％が米国の中間所得層の資産額全てを上回っている。中間層は縮小し、相対的に貧しくなった。米国社会のスタビライザーだった中間層の没落で、社会の不安定化が増す。

個人と同様に米国企業の収益格差も際立った。二〇二三年の米株式市場は、米テック七社が猛烈な勢いで先導した。このテック七社は、米バンク・オブ・アメリカのトラティジスト、マイケル・ハートネットが「マグニフィセント（豪勢な）セブン」と呼んだ成長株。

この七社の中でも突出したのが画像処理半導体（GPU）最大手のエヌビディアだ。一九九三年創業でゲームの画像処理向けを手掛け。任天堂の「Nintendo Switch」などに供給していたが、その後、生成AIの開発にGPUが使われ始めたことで売上が跳ね上がった。

このエヌビディアが、二〇二三年から米株式市場の〝台風の目〟になる。

エヌビディアの時価総額は二三年一二月、メタ、テスラを上回る一・二兆ドル（約一七〇兆円）に急増した。

二三年時価総額の増加率順位はエヌビディアを筆頭にメタ、テスラ、アマゾン、アルファベット、マイクロソフト、アップルと続いた。このテック七社の時価総額は計一二兆ドル（約一七〇〇兆円）、日本の上場プライム株式時価総額八四〇兆円（二三年一一月末）の二倍に上る。七社への投資の熱源は、生成AIに高まる期待だ。

結果、企業業績の二極化も極端に進行した。富はほんの一握りの人と企業に集中し、大部分の市民と企業は富の集積マシンから置き去られる構図が鮮明になった。

結局、デジタル資本主義がもたらした富の極限的な二極化と、疫病のコロナパンデミックが、BIを一挙に表舞台に引き出したのである。究極のセーフティネットとして、世界各地の民衆に「砂漠のオアシス効果」を及ぼして魅了したのだ。

シェイクスピアは『マクベス』で、登場する魔女にこう言わせている。

物事は最悪のところまで落ちて止まります
でなければ、元いたところまで上ります
Things at the worst will cease, or else climb upward to what they were before.

しかし、コロナ禍で深い底まで落ちた人々は果たして「元いたところまで戻れるのか。落ちたままではないか」。この恐ろしい不安の影が、いま、おそらく世界中の多くの人々の胸に去来しているのである。魔女の予言を超えて、このまま地獄へ転落するのではないか――と。

コロナ後の世界は、間違いなく精神面、文化面でこの反動が起こる。その起こり方は限りなく多様多彩だが、表層の波動の下を動く底流は、見誤ることのない一定方向を示すだろう。

その方向とは、自らの個性の社会的集団的抑圧からの解き放ちである。束縛からの自由だ。

それは当然、抑圧する側に対する個の戦いとなる。この戦いの性質を照らし出した点でも、コロナは特別の役割を果たした。これについてざっと、一瞥してみよう。

コロナウイルスの衝撃は、執拗な攻撃性と強い感染力にとどまらなかった。ウイルスが肺に巣食い重症化すると早期に死に至りやすいが、その犠牲者の圧倒的に多くが貧民だったり、少数派の黒人であったり、移民や難民といった社会的被差別者であったことだ。意外なほどの社会の格差・差別の実態を浮き彫りにし、格差・差別問題に火を点じたのである。

人種混合国家のアメリカでは、コロナ感染による死者の大半が人口比では二割足らずの黒人であることが判明した。その死亡率は二〇二〇年に大都市のシカゴでは七五％にも上ったと報じられた。大部分は貧困者で、高額な医療保険に加入していないため、病院の診療を受けることができずに放置された。あるいは症状がひどくなるまで病院に行かないため、手遅れになった。

人口比で約六割を占める白人の死亡率は、多くの地域で一〇％にも満たないから、黒人やラテンアメリカ系などの貧しいマイノリティが受ける被害は圧倒的に多い。驚くべきは黒人の死亡率がじつに白人の二倍以上に上ることだ。黒人の死亡率が飛び抜けて高いことは、移民の多い英国でも同様だった。

格差と差別の存在がコロナのせいで公然と表に現れたことで、社会の分断は一層鮮明になった。結果、黒人やマイノリティにリベラルな白人の一部も加わった抗議集会やデモが、米国の大都市で多発するようになる。

それは二〇年五月二五日に起こった事件で一気に全米各地に燃え広がった。黒人男性のジョージ・フロイドがミネアポリス市近郊で白人警官に拘束され、車道にねじ伏せられて警官の膝で首を圧迫され、窒息死した事件である。被害者の「息ができない」とうめく姿が、市民の手でスマホに録音・録画されてＳＮＳで発信され、世界中が知るところとなる。

この事件で全ての抗議行動に「黒人の命も大切だ（Black lives matter）」のスローガンが掲げられ、叫ばれるようになった。一部では放火・略奪も起こり、州の軍隊が出動するなど騒動化した。

このように普段は隠されていた格差と差別による社会の分断状況を、コロナ禍は思いがけず炙り出したのである。

このコロナの予期せぬ働きを、どう捉えたらよいか。コロナはいわば時代の病気を示すと同時に、来るべき社会のイメージを浮かび上がらせたのである。

では、コロナ後の世界はどんなイメージで現れるのか。その時代風景は一体、どう変わるのか。

不確実な自分という存在

コロナ前後の世界の風景は、めまぐるしく変わった。

二〇二〇年初頭から二〇二三年二月頃まで世界規模で続いた新型コロナ・パンデミックは、中国での一一億人に及んだ感染大爆発の後、急速に収束した。三年にわたったコロナ禍は、世界の経済・社会を揺るがした。一方、この間デジタル情報革命と並んで、二〇五〇年ゼロカーボン（脱炭素）に向けたエネルギー革命が始まる。二〇二二年二月二四日には、ロシアのウクライナ侵攻による戦争が勃発、世界情勢は新しい局面に入った。

この三年で世界に瞬く間に起こした類例なき大変動は、これら四つの要因がもたらした。新型コロナウイルス、デジタル情報とエネルギーの革命、ウクライナ戦争である。

この大変動に二〇二三年一〇月七日、イスラム組織ハマスによるイスラエルへの大規模テロ攻撃が加わった。ガザ地区から出撃したハマスは、侵攻から撤退の際、イスラエル人二〇〇人以上を人質として連れ去った。イスラエルはハマスへの報復としてガザ地区への空爆、地上侵攻に踏み切る。

テロリストへの報復とはいえ、ネタニヤフ政権の過剰防衛に等しい無差別性の攻撃で、ガザの民間人に本稿執筆時点で三万人を超える死者を出した。

「民間人と戦闘員は区別して扱わなければならない」と定める国際人道法に違反する、との非難・抗議が世界各地で起こる。国際秩序を揺るがす武力行使が深刻の度を増し、世界の人道危機がさらに深まった。

混沌と分断によって対立・抗争・戦争が地上の至るところに表れる。中東の衝撃が広がる中、世界の政治秩序は大きく三極に分かれてせめぎ合う。ロシアとその侵攻を支持する衛星国などのロシア陣営、ロシアの侵攻に反対し、ウクライナを支援する米欧日など民主主義陣営、中立の立場を表明しつつもロシアを実質支援する中国、インドなどＢＲＩＣＳ陣営中心の三極である。

「新冷戦」と呼ばれるが、存在感を増すＢＲＩＣＳ陣営が、米欧日対ロ中の鋭い対立への影響力を強める。特に二三年に中国を抜いて世界一の人口大国となったインドは、中立的立場を表明、漁夫の利を得るかのように経済成長を遂げ、グローバルサウス（南半球を中心とした新興諸国）の指導者として振る舞うようになる。

しかし、こうした世界勢力図の大変化の裏で、人類にもう一つの内面世界の「大変化」が起こっていることを見過ごしてはならない。

コロナウイルスがもたらした根源的な不安と社会分離作用は地球規模の襲来だったゆえに、ポストコロナの人類文明の行方を大きく左右する。人々の目を自分と、分離する世界に向かわせた結果、（自分は一体何者で、これからどこに向かうのか）との問いが多くの人々の胸に宿った。

内面世界の変化とは、精神の高次の段階への進化を含む。「創造的自己表現」を目指す羽ばたきプロセスと言ってよい。それは個々の人間をみると、それぞれの内面の奥深くで生成するだけに、その者が業《わざ》を成すまで周辺はふつう容易に変化に気付くことはない。

だが、この業の一つ一つが集まって一挙に社会に現れるとどうなるか。社会が不当に抑圧しなければ、ルネサンスのような文芸や哲学の花々が相次いで開いてくるのではないか。

混沌として不安やむことない時代状況下。おぼろげながら浮かび上ってきたのが、多くの個人が現在の自分超えを目指す「自己超越時代」の到来だ。

この意思が、コロナ災禍によって培われた個人主義と地球意識によって強められる。そして顕著に現れてきた自己超越意思の潮流は、企業や国、地域の共同体からの独立性を高めて真・善・

美の新たな文明形成に向かうのではないか。

これは哲学者のカール・ヤスパースが人類の奇蹟的な精神開花とみなした紀元前四〜五世紀頃の「軸の時代（die Achsenzeit）」の現代版ともいえる。

二四〇〇〜二五〇〇年ほど以前の当時、そのわずか二〇〇年ほどの間に、インドのウパニシャッドの哲学者やブッダから中国の孔子、老子、孟子、荘子、墨子、荀子、韓非子ら諸子百家、古代ギリシャのホメロスやタレス、エンペドクレス、アナクシマンドロス、ソクラテス、プラトン、ヘラクレイトス、ピュタゴラス、アルキメデス、アリストテレス、さらにパレスチナのイザヤ、第二イザヤ、エレミアら預言者に至る哲学・科学・高度宗教・文化芸術が一斉に花開いた。

彼らは知恵と生き方を追求した人類の最初の賢者たちだが、その怒涛《どとう》のような「哲学・科学・宗教・文芸」の世界同時発生がポストコロナに再び盛んに、一層多様化し複雑化して起こるのではないか。そういう可能性が、コロナ禍を通じて眼前に開かれてきたのである。

真理と善と美の一斉追求は、コロナ禍の不安とＡＩの技術進化の双方から引き起こされる。コロナとＡＩのいずれもが、そもそも根源的な生の謎と不安を惹起するゆえ、真剣な問いが相次ぐのである。

謎と不安は合流して、新しい時代の潮流を形成する。それは先述の「軸の時代」や、日本の仏教各派や禅宗が花開いた平安末期から鎌倉時代のように、哲学、宗教、科学的探究、芸術や文化が多様な姿で澎湃《ほうはい》と起こってくるだろう。根底にあるのは、コロナ・パンデミックが突きつけた「問いの追求」にほかならない。

その現れ方は、春に花々がそこかしこに咲くように同時並行的に、混沌と渦巻いているようにもみえるだろう。美しい花もあれば、茎や葉に棘もあり、毒草もある。文字通り百花繚乱の趣で、短い生成と滅亡を繰り返し、多くはたちまちに現れて咲き、たちまちに消え果てる。

しかし、その諸々の文化・宗教活動は個に根ざし、少なくともその一部は国家とか企業、団体の既成秩序と勢力に敢えて対抗して独自性を発揮するに違いない。そして活動する個はバラバラでいながらも、成長し、状況に応じて合流したり統合して運動力を増す。

その活動の流れは大河に似ている。緩やかな流れが、大雨を得て水量をぐんぐん増し、一挙に速くなる。真っ直な急流が、やがて左右にうねりながら、大河となって海に注ぎ行く。

時代の哲学・科学・宗教の大思潮もうねったり、渦巻いたりしながら支流を加えて成長し、大河となる。大河の辿り着いた先は豊かな歴史の海原だ。その海原に向け生成したあらゆる思想、科学技術、宗教、芸術の芽や苗が注ぎ込む。海辺に散らばる銀色の貝殻の中からは、交響詩の調べが聞こえるようだ。

われわれがやがてみることになる哲学や科学、文芸の新しい流れは、まだ上流にあるか始まったばかりだが、やがて滔々《とうとう》と踊り来るだろう。多彩な内容を持つその流れは、やがて虹色に輝いてくるかもしれない。あるいは晴れやかな金色《こんじき》とか、鮮やかな真紅になるかもしれない。

個人の意識の変化は、ある時急激に起きる。思春期の肉体の進化と同じである。そして個人の意識の進化も、一般に思春期の自我の目覚めと共に生じ、挫折や病気、災難など人生の危機に際しても突然に起こりうる。

人々の集合的な意識もまた、同様だ。時代の危機的な状況下で、急激に変わりうる。その場合、戦争とか自然大災害、疫病パンデミック、経済破綻など国民の生存条件が脅かされた時に最も変わりやすくなるのは、歴史が示す通りだ。コロナ禍の苦難が、急激な意識変化の母胎となる。だが、コロナは不幸を蔓延させたばかりでない。創造という幸いが不幸を通じて醸成されるかにみえる。その役割はおそらく悪と善との二つを施す二重性を持つのだろう。

歴史をひもとくと、恐るべき疫病パンデミックが引き起こした芸術・思考・文化への世界的影響として、ルネサンスが真っ先に浮かぶ。

ルネサンス期には、古代ギリシャのように真・善・美が根本から問われ、美と真実と宗教の新様式が追求された。

忌わしいコレラの疫病が、アフタヌーンティの新文化を生み出したのである。

背景には、グーテンベルクの印刷技術の発明という情報革命があった。

この連関性に注目してさらにディテールをみてみよう。

美の追求者たちの意識

コロナ後の世界は、混沌を極めながらも全体としてルネサンス期に似た真・善・美に向かう、というのが可能性の高いシナリオの見立てである。

とりわけイタリア・ルネサンスを牽引した芸術家たちの精神が重要だ。彼らには、域外貿易の伝統から培われた進取の気性と広い開放的な視野、文化を導く器量があった。いまでいう受容力、創造力に富んだグローバリストが少なくなかったのだ。

彼らの発する影響力が、市民の間に広く浸透していったのも不思議ではない。歴史学者ブルクハルトが指摘した市民のおしゃれな服装や洗練された物腰は、その表れの一端である。

美の追求者たちにとって、社会はオープンであるべきで、偏狭な「排他主義」や「閉じこもり主義」はとんだ時代遅れの食わせ物だった。

ルネサンス期に注目すべきは、美の追求と共に市民の間に生起してきた世界市民意識であった。自分の居どころが世界にある、とみなす市民意識である。

ブルクハルトは、世界市民主義《コスモポリティスムス》を個人主義の最高段階とみなし、そこに到達した代表例に詩人のダンテを取り上げた。世界市民主義者は亡命者などとして国外のどこにあっても新しい故郷を見出す。先達者のダンテはこう言った――「わたしの故郷はそもそも世界である！」（注38）。

ブルクハルトによると、イタリアの共和制都市においては、その政治的混乱ゆえに個性的な性格の形成に有利に働いた。政権に失望して個人の自由への欲求と希望が膨らみ、各個人の個人主義に一層強い弾みをつけたようだ。

内省し、思索を深める。現代と共通している面があるではないか。

後に政治学の古典となったマキャベリの『君主論』が、その典型的産物の一つだろう。政敵に追放され、心ならずも辺地で閑暇を得たマキャベリは、気を引き締めるためにわざわざ貴族の正装に着替えて鋭意、執筆に取りかかったといわれる。

政敵から追放の憂き目にあったのは、ダンテも同様だった。しかしダンテにあっては各地宮廷の保護を受け、その気高い詩人の個性を保つことができた。

ルネサンスの精華の背景には、美とか真実の追求をひと際促した個人の意識変革があったのだ。市民に浸透した意識は、「時代精神」を形成する。それは経済・文化の興隆と没落のうねりを映す。

民衆の希望が高まり、活力がみなぎる時代、希望が萎え活力が衰退する時代は、ピークとボトムの転換点と共に、それぞれにあった。繁栄し生き残る国や文明の特性が「オープン性」にあることは間違いない。個人の場合は、「オープンマインド」の持ち主が適者生存の理にかなう。

スウェーデンの歴史学者ヨハン・ノルベリの研究によると、奴隷への盲従を拒否する、自由に開かれたオープン性こそが、歴史上文化と交易の進化をもたらした（注39）。一八世紀に始まった英国の産業革命は、その後の世界を大きく変えていったが、英国の大成功の秘訣は、各種分野のオープン性の相乗効果にあったと断じる。

日本の場合をみてみよう。文化と交易がオープン性に転じた明らかな時期は二つある。鎖国からの明治の開国と、国粋・軍国主義から新憲法に基づく民主主義に切り替わった昭和の敗戦後だ。この二つの時代、オープン社会への転換で、日本は圧倒的な活力で急成長を遂げた。だが、平成期に社会の「クローズド（閉鎖）化」と共に、その繁栄は行き詰まった。

米考古学者のアルフレッド・クローバーは、文化の進化を突き動かすのは「刺激の拡散（Stimulus Diffision）」とみなした。ある強烈な刺激が、集団に伝わって広がり、「やってみようか」と人を何らかの行動に駆り立てる。この前進に向けての刺激を進化の動因とみたわけだ。

たしかに、ルネサンスはダンテやボティチェリらに始まる「創造的刺激の拡散」が次々にケミストリの相乗効果を引き起こした。

ならば、コロナ以後、各分野で一体どういう創造的刺激が拡散していくのか——。

精神エネルギーの方向変化

コロナ禍は、自らの関心と、精神エネルギーの方向性の一大変化をもたらした。対外活動が制限され、内面活動は活発化した。人々の関心は「内なる世界」に向かっていき、自分自身の存在価値に気付き、その独自性を発揮しようと考えるのも自然な流れだった。

人々の多くはルネサンス期の賢者たちのようにいつしか外向きから内向きに、より内的世界の充実、内面の豊かさ重視に傾いていく。この内向き時間をスマホの画面にクギ付けにしようとするデジタル支配側の盛んな商業工作を、撥ねのけたり制限して内面化は進むだろう（注40）。

こうしてみると、二〇二〇年代半ばまでの間、人類の歴史が転換していったことを、後年の歴史家は認定するのではないか。コロナ禍とロシアのウクライナ侵攻が、社会の分断と混沌を深め、先の見えない将来不安を世界規模で引き起こしたこと。これにデジタル技術が深く関わって世界史転換が生起したのだ、と。

ひとたび羽ばたいた美と自由への意思は、地上から離れ、天界を駆ける。地上はみる間に遠ざかる。

真実の追求は、どうなるのか――。

多くの自由意思が、社会問題で当面、ますます厄介とみなし、対処を余儀なくされるテーマは、おそらく次の二つだろう。ひ弱になった民主主義のテコ入れと、デジタル資本主義の弊害排除だ。

自由な意思は抑圧体制を必ず嫌い拒否するため、この点で誰もが体制として民主主義に親和性を見出さないわけにはいかない。わが翼で奔放に世界を回るには、自由な民主主義社会に越したことはない、との思いに当然至る。

仮に全体主義体制にあっても、人々は自由な創造的翼で制限なく飛び回れる「自由な空間」をひたすら願うことに変わりない。創造的自由を得る上で、民主主義社会こそがふさわしく、国家統制が忌わしいことは自明の理だ。

しかし、民主主義社会の現状は甚だ不完全で安定性を欠く。スウェーデンの民主主義調査機関V‐Demの二〇二四年レポートによると、独裁的な強権国家の台頭を受け、世界の自由民主主義の退潮が続く。二〇〇九年頃から勢いを増した強権国家に押され、民主主義国家の世界シェアは低下傾向を辿る。四二か国で強権化が進み、人口で二八億人、世界人口の三五%を占めるまでになった。二三年の世界の「自由民主主義指数」は、冷戦期と同水準に後退したという。

一方、民主主義の現状は安定性を欠く。民主主義理念の実現はどこもなお道半ばで、理念を完全実現した国は未だない。

そもそも民主主義の語源は、ギリシャ語における demokratia「人民の支配」に遡る。民主主義の基本形態は、古代ギリシャの「市民による政治への直接参加」だが、ギリシャではその参加できる市民の対象から奴隷、異邦人、女性は除かれた。

こうした除外部分が、多くの民主主義国にいまなお残され、その政治参加が問われているといえる。現代日本では、たとえば「奴隷と異邦人」に相当する在留外国人、海外邦人の選挙参加や女性の代議員参加が課題となる。

他方、スマートフォンの普及にみられるデジタル技術の進展に伴い、民主主義の「衆愚政治化」

が顕著になった。SNSを使ったフェイク情報やプロパガンダによって人々が煽動され、暴走するケースが頻発する。民主主義の骨抜き工作が活発化し、民主主義の機能がマヒするシーンが急激に増えた。

民主主義の先導国とみなされる米国で、大統領選挙に敗れたトランプ前大統領が煽動して支持者たちが米連邦議会に乱入した二〇二一年一月の事件が、このことを象徴的に物語る。民主主義は完全実現に向かうどころか、過激な反デモクラシー・独裁制の方向に後退する場面が、こともあろうに、民主主義先進国の米国で起こったのだ。

民主主義の土壌の中からこそ、混沌の中から自由な創造意思が生まれ、羽ばたくことができる。自由意思がそこかしこに開花するためには、民主主義の土壌が欠かせない。

そこで戦いは主に二つの前線で活性化するのではないか。一つは民主主義を骨抜きにしたり脆弱にする政治の戦い。もう一つが、デジタル・プラットフォームを支配する大手ＩＴの狡猾なデジタル利権化と情報支配に対する戦いだ。

後者の問題はみえにくいが、ＥＵや米政府、日本の公正取引委員会が問題視して提訴したのは、ＧＡＦＡＭなどによる独占禁止法に違反するＩＴ商法だ。訴えの内容は、将来性あるスタートアップを買収して芽をつみシェアを拡大、消費者の個人情報を悪用、自社のアプリの使用を誘導、自社に有利になる広告工作――など。

巨大デジタル・テック企業の競争制限的動きへの規制は、ＥＵを先頭に世界で高まる。ＥＵはデジタル市場法（DMA）を二三年五月に施行したのに続き二四年三月、チャットGPTなど生成AIを含む世界初の包括的なAI規制法案を可決した。二五年にも適用の見通し。AIリスクに応じて規制内容を変え、加盟国に統一ルールが適用される。企業に生成AIで作成した画像の明示やシステム開発に使用した著作物の開示を義務付ける。EU域内の事業者ばかりか、EU内で活動する日本企業を含む外国企業も対象となる。違反すれば巨額の制裁金を課す。

ダグラス・ラシュコフ著『デジタル生存競争』によると、IT億万長者がデジタル資本主義の暫定的勝者だが、その度を超えた利権あさりの暴走は長続きするはずはない。デジタル興亡史に詳しいラシュコフは、「現実世界を目隠しして逃避の世界をつくった」ことが、IT長者らのひと時の勝因とみる。「目隠し」とは、利用者にデジタル商法の本性を隠して幻覚作用を起こし、現実から逃避させせたことを指す。

そのカラクリを知って、いまから真の「デジタル・ルネサンス」を取り返さなければならない、と説く。デジタル・ルネサンスとは、創造的個性的で相互依存でつながるデジタル社会を指す。それはインターネット幕明け当時、実現するかにみえたが、ビル・ゲイツらの巨大ビジネス化によって、あらぬ方に暴走してしまったという。

政治とデジタル双方での戦いは、各国の国内運動にとどまらず、SNSを使ってグローバルに連帯して展開される国際運動の形をとるだろう。

コロナ以後、社会に結局、どういう大変化が起こるのか。鳥の目でみると、広大な視野に四つの追求シナリオが認められるだろう。これが人類に大変化をもたらす最上のシナリオになりうる。

この追求シナリオは、真・善・美の方向を示す。「善」の方向は、一見不明瞭だが、個人が「善かれ」と思う仮想世界や趣味の追求、環境クリーン・温暖化対応を含む。多くの人にとって、善とは自分にも他人にも共通して良いこと、と考えるからだ。

追求シナリオの一つは、意識の拡張の結果、人々の多くにますます広がる「時空間の追求」だ。気に入った自分の時間と居場所を手に入れることが共通目標になる。「これ以上の至福は考えられない」という時間と空間の追求である。

この普遍的な幸せを多くの人々が可能な限り追い求めるようになる。

次に、「美の追求」だ。美は何にもまして魅惑的ともなり、干からびた現実を潤す。美の価値は主観的で、人間は老いて朽ちていくのを自覚するゆえに、余計に美の輝きを感受するのかもしれない。

美の価値は、「みる本人にとっての欠かせない価値」であり、その価値を他者が必ずしも共有するものではない。それは「自分にとって」の特別な価値なのである。

とはいえ、ボティチェリの名画「ヴィーナスの誕生」のように、誰もが感動する普遍的な美が世にあることは否定できない。

普遍的な美は、しかし、外面的表示的に存在するのではなく、個々の「内なる美」が無数に共有された普遍現象にほかならない。美は本質的に個の内面が独自に感受するもので、時にその美が感動を呼び普遍化していくのである。

コロナ後の世界は、美の価値が以前にも増して一段と輝きを増したようだ。人類は進化する過程で美のセンスを研ぎ澄ませ、装飾品とか建築物、絵画や音楽にそれを生かしてきたが、美の価値がコロナ禍で見直されたことは明らかだ。

サイエンス・ライターのガイア・ヴィンスによると、人間は美に対する強い感性を備えている。「(人間は)人の顔立ち、シンメトリーな花、小鳥のさえずり、人間の創造物など、あらゆるものに美を探し、美を見つけることに喜びを感じる」(注41)。

人間は、美に生物学的に反応するようにできていて、美を認識するように進化してきた。美は人生に喜びと意味を追求する目的を与える。何かしら「美しい」と感じると、「もっと知りたい」と好奇心を掻きたてられる。若く健康で美しい人は、性的な欲求に火をつける。そして美的な創造のために、労力や時間や資金の投入を惜しまないようになる。

公園や道ばたを花で飾ると「美しい。もっと美しく」と共感を呼び、さらに花を植えたり周辺を整備したりして美しさを広げようとする。ヴィンスによると、社会を美化する欲求が社会規範になる。美しいと感じるものを、価値と意味を備えた、シンボルに昇華させ、共同体をまとめる社会機能を果たすという。

人類の進化は、たしかに美に向かっている。美を認識する美的判断が、文化を形成していくのである。

コロナ後の世界、美の追求は格段に盛んになっていくだろう。美の追求と共に仕事の性質も変わり、評価も変わってくる。

第三のシナリオは、「仮想世界の追求」だ。ここで新たな時空間を手に入れる。従来は鉄道や自動車、航空機の登場による交通手段の革新がその原動力だった。これに対しコロナ以後は、仮想現実（ＶＲ）の拡張が主役に加わる。リアル世界と並んで仮想現実の世界で時空間を手に入れる。

ＡＩの進化がこの大変化を駆動する。メタバース世界への度重なる訪問で、活動するリアル空間に「もう一つ別次元の時空間」を加える。未知のスポットを訪れる旅行者のように、〝行ってみたい場所〟と〝生きがい時間〟を増やすことができるのだ。こうしてＶＲのコントロールで活動時空間の大拡張が可能になる。

「真実の追求」が、四つめのシナリオだ。これはフェイク情報が急増し、情報の真がんが分からなくなるせいだ。

真実の追求の必要性は、いまに始まったことではない。デジタル情報時代到来は古くからの新聞メディアの経営を直撃した。世界最古の新聞「ウィーン新聞」（オーストリア）は二〇二三年四月、紙媒体の原則廃止を決めた。創刊は一七〇三年八月に遡る。三世紀以上も前に真実を伝えようと誕生した新聞の息の根が止まった。

この紙廃止のケースに、ジャーナリズムの危機が端的に表れた。スマートフォンや検索エンジンの普及などデジタル化の流れに、紙媒体は読者を失ってしまったのだ。

新聞の経営破綻は、ジャーナリズムを弱体化する。現代史の事実や出来事を報道し、解説するジャーナリズム本来の機能が、記者の減員や解雇などにより衰退してしまう。

米国では地方紙の廃刊が相次いだ。調査したペニー・アバナシー米ノースカロライナ州立大教授によると、地方紙の経営破綻はコロナ・パンデミックのダメージで一段と加速した。二〇一八年以降、三〇〇の地方紙が廃刊され、六千人のジャーナリストが消えた。米国は二〇〇四年以来、週刊紙・非日刊紙を含む二一〇〇の新聞を失った。二〇〇四年に約九千紙あった新聞は一九年末には六七〇〇紙となった。二〇年時点で米国にある三一四三の郡、もしくはそれに相当する行政区のうち二〇〇以上に新聞がない。地域で起こった重要問題について信頼できる総合的な情報源がない状態だ（注42）。

住民側に寄って立つ記者兼監視役がいなくなることで、行政や大企業の不正や行き過ぎた権力行使へのチェック機能が弱まった。コミュニティ・ニュースを知ることがないため、住民の選挙への関心も弱まる。ジャーナリズムの衰退は、民主主義の土台を掘り崩す。

デジタル情報化の世界的潮流は、国・地域の例外なしに進む。米国に象徴的に深まった新聞の経営危機は、デジタル化に連動したもので、日本や欧州各国を含むどこの国にも到来した。日本の新聞発行は、一九九七年の五三七六万部をピークに、二〇二三年一〇月時点で三〇八四万部と二五年間の間に二三〇〇万部余り減少した（日本新聞協会調べ）。二〇〇八年以降、減少ピッチが収まらず、二〇年には七・二％減となった。

危機の乗り切りに、紙媒体からデジタル媒体への切り替え、大資本によるジャーナリズム事業の買収・支援などが考えられているが、一筋縄ではいかない。

米有力紙ニューヨーク・タイムズのデジタル媒体移行による成功例をみると、米国の国際的な経済・文化都市を本拠地にした報道と宅配、さらにデジタル購読料を払える富裕な読者層が多いことが、サクセス・ストーリーを生んだ最大の要因とみられる。二〇二〇年代に入ってから、資金が豊富な大手ヘッジファンドや投資会社の新聞業界参入が増え、ジャーナリズムの独立性が危ぶまれるケースも目立つ。

厄介なことに、急拡大したデジタル情報空間にあふれる情報は、信頼性と安心性を欠く。誤りや偏り情報、フェイク情報がたっぷり含まれるからだ。ユーザーは「どの情報が真実か」をその都度見抜かなければならないが、事実上不可能だ。新聞業界は、むろん安閑と構えてはいられない。大量の報道情報を学習データに利用して急拡大する生成ＡＩに反発を強める。ニューヨーク・タイムズは二三年一二月、チャットＧＰＴを開発したオープンＡＩと連携先のマイクロソフトに対し「数一〇〇万の記事を学習データとして無断で使用した」と著作権侵害で損害賠償を求める訴訟を起こした。

生成ＡＩのデータセットには、大量の新聞情報が含まれる。グーグルの検索サイトやウィキペディアと共に、新聞記事データの割合が大きいのは、情報の精度が高いからだ。「ただ乗り（フリーライド）」の非難に対し、オープンＡＩ側は著作物を「公正に利用した」と反論した。同様な訴訟が今後、次々に起こされる公算が大きいだけに、裁判の結果が注目される。

因みに日本新聞協会は二三年一〇月、記事・写真・画像など報道コンテンツへのただ乗り被害を防ぐため、原則として著作者の許諾なしに利用が可能な現行の著作権法の改正を求める考えを公表した。

この新事態から浮上した一つの側面は、生み出される価値情報（知的財産）の評価と対価支払いの仕組みを構築する必要性だ。

生成ＡＩは紛れ込むフェイク情報も学習データに取り込むため、誤りやフェイク、ハルシネーション（もっともらしい作り話）が生まれる。

こうした背景から、コロナ以後、情報の真実性が一段と問われ、真実の追求が加速する。ポストコロナの世界に、真・善・美を目指す幾多の創造的シナリオが、比類のない混沌の渦の中からＡＩと連携しながら次々に生長した姿を現してくるのは疑いない。いまはコロナ以後の追求シナリオの実現途上にある。このプロセスで、全ての創造行為のマスターキーを握る時空間意識の拡張が正面から問われるようになる。

コロナ後の新時代、視界をさえぎる灰色の霧のかなたに、一条の光が射し込むのがみえる。

（注35）帝国データバンク調査。『TEIKOKU NEWS』２０２1年8月3日号

（注36）ウェルビーイング（Wellbeing）とは、ある人もしくはグループにとって「良好な満たされた状態」を意味し、身体だけでなく精神面、社会面でも良好な健康を指すケースが多かったが、近年は「国民の幸福度」として経済指標などにも用いられる。もとは一九四八年の世界保健機構（ＷＨＯ）憲章で、健康をhealthの代わりに「新しい健康の状態」として定義された。

（注37）大和総研・神尾篤史主任研究員の調査による。

（注38）ヤーコプ・ブルクハルト　前掲『イタリア・ルネサンスの文化』

（注39）ヨハン・ノルベリ『OPEN The story of Human Progress』山形浩生・森本正史訳（ニューズピックス）

（注40）スマホの普及につれＧＡＦＡＭなどデジタル・プラットフォーマーは、スマホから目を離せなくするための工作を次々に繰り出した。象徴的なのは動画共有アプリ「ＴｉｋＴｏｋ」。無料で誰もが動画や画像を掲載、閲覧できる上、指を上にスクロールさせれば次々に画面が現れ、みたいものを簡単にみつける仕組みにしている。「麻薬のように」耽溺させる仕掛けである。四六時中、スマホにクギ付け状態になり、考える間もない若者らが増えるのも不思議でない。米下院議会は二四年三月、中国系TikTokを中国への情報漏洩リスクを念頭に、米国内利用を禁止する法案を可決した。

（注41）Gaia Vince. "Trancendence: How Humans Evolved through Fire, Language, Beauty and Time" ガイア・ヴィンス『進化を超える進化　サピエンスに人類を超越させた4つの秘密』野中香方子訳（文藝春秋）

（注42）https://smartnews-smri.com/research/research-336/

おわりに

危機は、いつでも新しい実りをもたらす始まり、となりうる。コロナ危機は、世界中を緊急対応に駆り立て、新ワクチンや新政策、新法令、制度改革を生みだした。人々の生活も大きな「見直し」を強いられ、誰もが困難をくぐり抜ける工夫や、生活の仕方を考え直したに違いなかった。

本書も、パンデミックが長引く中、「危機の見直し」を余儀なくされるうちに構想が芽吹き、形を整えていった。コロナ危機の思いがけない産物であった。

三年余にわたりコロナ禍の実態と動向の観察が続いた。「ソーシャルディスタンス」が分析のキーワードとなった。世界史に記録される疫病パンデミックとして歴史的視点で眺め、その影響を比較検討した。他方、「混沌と分断と争いの場」に変遷した世界を務めて冷静に分析した。

この間、コロナに強制された「檻の中の囚人」として、多くの人と同様に観察と疑問と沈思黙考、自分との対話を余儀なくされた。この類例のない特別な環境が、本書の構想・調査・執筆を導き、本書成立の母胎となった。

しかし、考察の対象は当初のコロナ禍の範囲を超えて拡大していった。世界的変異が次々に襲ってきたからである。

ロシアのウクライナ侵攻が勃発し、危機は国際的に広がり、複雑化した。米中対立が深まる折りからのウクライナ戦争は、各国・地域に地政学的危機感を植え付けた。影響は国際政治と、エネルギー・食料供給減により世界経済に波及した。

一方、デジタル資本主義下、急進化した生成ＡＩがインターネット登場以来の衝撃を世界に与え、ＡＩ時代の本番化を告げる。大変異の続発を目の当たりに、執筆の熱量が一段と上がったのは自然な成り行きであった。

だが、本書執筆にはもう一つの動機が働いた。このような急速に変転する歴史的な時代の分析と描写には、個別的専門的ではなしに、大局的、総合的な切り口で臨まなければならない、とみた。個々の専門的な切り口からでは、その計り知れない広範な影響の全体像が描き切れない。

現在の知識と学問の領域は、ことごとく細分化され、専門化されている。縦割り型となり、知見はともすると垂直方向の専門的な枠内に閉じこめられる。視野が一定分野に限られ、水平方向の関連分野に共有されにくい。

だが、コロナ禍の影響は途方もなく大規模な上に複雑化し、得られる知見はそれぞれの専門領域を超える。全体像は総合的にとらえなければならない。「群盲、象を撫でる」式であってはならない。方法論として諸現象を〝横串〟にしなければ、全体の形姿が分かりそうにない。ここでジャーナリストの役割が、ひと際重要になると考えた。

ジャーナリストと歴史研究者の視点が本書の随所に生かされ、読者の方々に「That's it!」の共感を呼び起こせれば幸いである。

本社の論考のうちⅢ～Ⅴは、山形新聞の連載コラム「思考の現場から」、月刊ニューリーダー誌連載「白昼の死角」、デジタル出版社Ｖｏｙａｇｅｒの電子版「白昼の死角」シリーズの掲載記事をベースに大幅に加筆した。これらの企画・掲載に携わった方々にお礼を申し上げたい。

本書の刊行に当たっては、産学社の薗部良徳氏にお世話になった。薗部氏は当初、「官の裏帳簿」とも言われる特別会計絡みの新著を所望されたが、本書を優先して引き受けてくれた。感謝を申し上げたい。

彼が語り合いでこう言ったことを思い出す――「書籍が、全てのメディアの最先端を行く」。本が持つ重要な固有の価値が、この言葉から浮かび上がる。ＴＶやネットメディアと違い、本は一過的でない。通り過ぎずに自分のもとにとどまって、永続的だ。思考と感性の深い、考え抜いた表現も機微な表現も、本は可能だ。読者は、著者と間近で一対一で対話し、交流できる。

そして時に、本は世の古い常識や支配する考え方、法・慣習に反逆して、時に重要な歴史的発見やアイデアをも伝える。この知的創造的刺激も、本ならではの役割だ。

本書が、この役割を十分に果たせれば、――それは至上の歓びと言うほかない。

二〇二四年四月

北沢　栄

【著者紹介】
北沢 栄（きたざわ・さかえ）
東京都・神田生まれ。慶應義塾大学経済学部卒。共同通信経済部記者・ニューヨーク特派員を経てフリージャーナリスト。歴史学・哲学研究者。
2005年4月～08年3月、東北公益文科大学大学院特任教授。公益法人、特別会計などの問題に関し参議院厚生労働委員会、同決算委員会、同予算委員会、衆議院内閣委員会で意見陳述。07年11月～08年3月、参議院行政監視委員会で客員調査員。10年12月「厚生労働省独立行政法人・公益法人等整理合理化委員会」座長として報告書を取りまとめ。

主な著書に『亡国予算　闇に消えた「特別会計」』（実業之日本社）、『公益法人　隠された官の聖域』（岩波新書）、『独立行政法人　静かな暴走』（日本評論社）、『官僚社会主義　日本を食い物にする自己増殖システム』（朝日選書）、『小説・特定秘密保護法　追われる男』（産学社、電子版はVoyager）、『小説・非正規　外されたはしご』（産学社、電子版はVoyager）、『南極メルトダウン』（産学社、電子版はVoyager）。近著に『神保町と大正デモクラシー』（ザ・メッセージ社、電子版はVoyager）、訳書に『リンカーンの三分間─ゲティズバーグ演説の謎』（ゲリー・ウィルズ著・共同通信社）。共著に『SDGsとパンデミックに対応した公益の実現』（現代公益学会編、文眞堂）など。
ホームページ：http://www.the-naguri.com
Eメール：kitazawa@s.email.ne.jp

2030年の世界

初版1刷発行　●2024年　5月27日

著　者
北沢 栄

発行者
薗部 良徳

発行所
㈱産学社
〒101-0051 東京都千代田区神田神保町3-10　宝栄ビル
Tel.03（6272）9313　Fax.03（3515）3660
http://sangakusha.jp/

印刷所
㈱ティーケー出版印刷

ISBN978-4-7825-3588-2 C0036